To Dan & Catriona with best wishes ... the Krunks ... 87

WHITE STONE COUNTRY

WHITE STONE COUNTRY

Growing Up in Buchan

DAVID D. OGSTON

With an Introduction by
CUTHBERT GRAHAM

THE RAMSAY HEAD PRESS, EDINBURGH

First published in July 1986 by
The Ramsay Head Press
15 Gloucester Place
Edinburgh EH3 6EE

First Reprint, October 1986
Second Reprint, December 1986

The publisher acknowledges the
financial assistance of the
Scottish Arts Council in the
publication of this volume

Printed in Scotland by
W. M. Bett Ltd, Tillicoultry

Contents

	PAGE
Acknowledgements	vii
Introduction	1
CHAPTER	
1	9
2	15
3	21
4	26
5	34
6	40
7	46
8	53
9	60
10	66
11	74

Dedicated to our daughters
KATE and RUTH
and to all children from the
farms and villages of Buchan

Acknowledgements

Some of these pages have already appeared in *The Buchan Observer, Lallans, The Leopard,* and *The Press and Journal.*

Dr. Cuthbert Graham, guide and mentor to so many writers of Scots, has been unfailing in his kindness and support.

Mr. Ken MacDonald designed and executed the cover: to him, my thanks and admiration.

Both of our parents passed on to my sister Hilda and myself many of the stories and characters that are written of here: my mother in particular, before her death in 1983, was my most leal chronicler.

To Meg my wife, for tholing for so long the making of this book: my love and gratitude.

And to the lady who has lived with *White Stone Country* for as long as me, whose patient encouragement was the vital factor, and whose labours were beyond price – to Myra Elgin, an awesome debt of thanks and praise.

Introduction

Our present-day dictionary-makers have pointed out that ever since the end of the seventeenth century a succession of Scottish literary men have chosen to write poetry in Scots because they felt that the Scots language was on the verge of extinction. This, we are assured, was the view of Allan Ramsay (1686–1758), of Robert Fergusson (1750–1774) and even of Robert Burns (1759–96) himself, and it can be argued that even Sir Walter Scott held the same idea about the fluctuating, tenuous and ultimately doomed survival of the Scots tongue.

By the end of the nineteenth century it was quite clear that Scots did not survive to any great extent as a fully authenticated literary tradition. Scots as occasionally displayed in special forms by writers like Andrew Lang and Robert Louis Stevenson was an exotic phenomenon, at least as far as writing at the centre of things in Edinburgh or Glasgow was concerned.

But just when the Scottish capital and its pundits appeared to accept the demise of the old national language as a fulfilled development a provincial movement which soon came to be known as the Vernacular Revival began to attract considerable notice to itself. This was largely centred on the North-east of Scotland with long outliers in Angus and the Mearns. In the eighteenth century James Beattie and Alexander Ross had exchanged compliments in the vernacular, taking a special pride in their regional eccentricities, so that Beattie could boast to Ross:

> The saucy chiels – I think they ca' them
> Critics – the muckle sorrow claw them
> (For mense nor manners ne'er could awe them
>   Frae their presumption),
> They need nae try thy jokes to fathom,
>   They want rumgumption.

In the next one hundred years a host of minor versifiers in the city of Aberdeen used the vernacular and a major prose writer like the novelist George MacDonald imported large prose passages in the local dialects to his fiction. But the Vernacular Revival really got under way when William Alexander, the editor of the *Aberdeen Free Press* serialised *Johnny Gibb of Gushetneuk*, centred in the Garioch, in his newspaper. This happened in the 1870s when the Scottish Education Act went on the statute book and there was a widespread impression that the compulsory English of the classroom would spell the doom of the still very powerful regional vernacular.

Johnny Gibb was not of course written in the North-east dialect. It is an English novel, but one with very large conversations in the doric of the Garioch. In its wake came a flood of vernacular verse by such poets as Violet Jacob, Charles Murray, Mary Symon, Pittendrigh MacGillivray, Marion Angus and David Rorie. Here was the doric writing in the mass and critics were not slow to point out that it rose directly from the *spoken* rather than from any previously *written* language.

Of the success of the vernacular revival there can be no question. *Johnny Gibb* ran through seven editions in its first decade and the eighth edition of 1884 continued to be reprinted until 1951. It then fell out of print but was reprinted in a fine new edition in 1979. Even more spectacular has been the popular success of the greatest of the first wave of vernacular poets, Charles Murray (1864–1941), within his own homeland if not elsewhere in Scotland. As Nan Shepherd put it: ‘It is unfortunate that outside the North-east his reputation for nostalgic and rather facile verse has congealed on the early editions of *Hamewith* and the anthology pieces, which do not contain his mature work. Later work was stronger and more powerfully knit.’ How much Murray spoke for the rural culture of the entire North-east of Scotland was demonstrated in 1933 when his poem ‘There’s aye a something’ on its first appearance in the Aberdeen *Press and Journal* resulted in the first printing of that newspaper being sold out by 9 am. Newsboys and newsagents were so inundated with demands for copies that two further editions had to be run off, supplemented later by two printings of the *Aberdeen Weekly Journal*. The poem probably ranks with *The Whistle* and *It Wasna His Wyte* as the most popular of all Murray's pieces. Murray's *Hamewith* volume was first published in Aberdeen in 1900. Constable of London took it over and continued issuing fresh editions supplemented by *A Sough o' War* in 1917 and *In the Country Places* in 1920. In 1927 a collected edition appeared as *Hamewith and Other Poems* and was reprinted many times until the poet's death in 1941. In 1942 the Charles Murray Memorial Trust was founded and has since made itself responsible for the continued republication of Murray's complete poems, which are still in great demand.

This popularity reflects the fact that Murray speaks for a very definite and distinctive regional culture which has had many other literary expressions from 1941 to the present day. It is a predominantly rural culture. Social scientists like Ian Carter have identified it as the culture of *The Poor Man's Country* a phrase coined by one of the authors of the New Statistical Account of 1843 referring to the area of Aberdeenshire and Banffshire and also the northern half of the Mearns, where such a mix of small, medium and large farms existed side by side that it was possible for the 'poor man' from the farm servant class to graduate into actual land-holding via the acquisition of a croft and its subsequent development and expansion. Opinions vary as to when and if the economic basis of the Poor Man's Country has been totally destroyed by the conditions of mechanised farming today but the culture of the Poor Man's Country is still very far from dead – and of that this book is a very striking proof.

In the Twenties and Thirties of this century the movement that began with the Vernacular Revival faced two important challenges. In the Twenties it was at first supported and then fiercely attacked by the poet Hugh MacDiarmid. He was in controversy with the London Vernacular Circle and he ended by deploring any movement which was frankly regional in its character. If the Scots language was to survive it must survive as a national tongue. North-east dialects like that of Aberdeenshire were inadequate and 'corrupt'. Lowland Scots or Lallans was not of course entirely useless. It could be the basis of creative verse and poets who used it were encouraged to experiment or to try out 'synthetic Scots'.

The movement which resulted from this was regarded with some scepticism by the writers of North-east Scotland, for whom their native vernacular was by no means dead. Their feelings were amusingly satirised by Dr. Donald Gordon (1921–1985) a retired British Ambassador to Austria, in a poem he called 'The Resurrectionists'

In Embro toun ae nicht, they say,
A puckle braw young callans
Wis emulatin Burke and Hare
An resurrected Lallans.

Awa in roch auld Aiberdeen
The fowk wis fairly blaikit:
For gin its nivver yet been deid
Foo can a corp be straikit?

In the Thirties, at the very time when Charles Murray's regional popularity was being so strikingly demonstrated in *The Press and Journal* there was published Lewis Grassic Gibbon's *Sunset Song*. It depicted in Kinraddie the very culture of the Poor Man's Country. It faced up to the problem of language. Long Rob of the Mill, lamenting the demise of spoken Scots was made to say:

> 'You can tell me, man, what's the English for sotter, or greip, or smore, or pleiter, gloaming or clanching or well-henspeckled? And if you said gloaming was sunset you'd be a liar . . .'

In *Scottish Scene* Gibbon gave a brief definition of his own technique. It was:

> '. . . to mould the English language into the rhythms and cadences of Scots spoken speech, and to inject into the English vocabulary such minimum number of words from Braid Scots as that remodelling requires.'

In the moving oration at the end of *Sunset Song* we are told of the four soldiers who did not return from the First World War:

'They went quiet and brave from the lands they loved, though seldom of that love they might speak, it was not in them to tell in words of the earth that moved and lived and abided, their life and enduring love. With them we may say there died a thing older than themselves, these were the Last of the Peasants, the last of the Old Scots folk. A new generation comes up that will know them not, except as a memory in a song, they passed with the things that seemed good to them, with loves and desires that grow dim and alien in the days to be. It was the old Scotland that perished then . . . For greed of place and possession and great state these four had little heed, the kindness of friends and the warmth of toil and the peace of rest – they asked no more from God or man, and no less would they endure.'

David Ogston has written a book in which he says much of Lewis Grassic Gibbon. He was a child when Gibbon was long dead, but his words remained very much alive – so much alive that we may question whether the Kinraddie he created was quite so past and gone as he himself sometimes suggested.

In Chapter Ten David Ogston says, in the very language of the living Scots vernacular: 'The wye that he (that is Lewis Grassic Gibbon) spak o fowk, trauchled and brave tae, the wye that he held up tae ye the shape o lives lived lang ago (or wis't yestreen), the wye that he brocht ye the atmospheres o parks an sizzons, the muckle furth an the lift, waur that real an direct that faan I laid the beuk doon . . . I felt that here, for the first time, in the confines o the steadins o Kidshill, here wis a life foo o the raw materials o poetry an meaning an value, like the life he'd putten intae the narra march-dykes o his pages. I felt present tae faat lay roon aboot me, aware o its reality as a farrach capable o sangs, aware – for the first time – o the effect it had on me.'

This is an extremely moving passage. It suggests that in *White Stone Country* we have an illuminating gloss on the work of Gibbon, as well as a flood of light on the North-east language that Gibbon had to *English* for the benefit of his readers south of the Border.

The main value of Mr. Ogston's work is that for the first time he lifts the curtain on the day-to-day language that was and still is spoken in the Poor Man's Country of North-east Scotland, the language that is taken for granted by most folk in Aberdeen itself and in its rural hinterland, and which makes the contemporary poetry of outstanding dialect poets like Flora Garry, Douglas Kynoch, Alastair Mackie and many more shine out like jewels in a very real prose setting.

It has been argued that no language is truly alive that does not have its prose as well as its poetry. If that is true then we owe to David Ogston a justification of the vigorous vernacular that persists in the rural North-east and which so many of its residents accept as a fact of life without seeing any necessity to argue over it.

There is a large and very welcome element of autobiography in *White Stone Country*. There are portraits of great characters like Hugh Milne, the dominie of Clochcan, Andy Duncan the barber at Auchnagatt, and Ma Wilson the schoolmistress. The auctioneer at Maud is among the public figures and there is plenty of humour, as when David reflects on the hard life of the auctioneer's clerk, of whom he writes: 'I couldna faddom foo the peer breet kept up wie't aa against the clanging o the iron yetts, the stampede o nowt's feet, the buzz o the ringside an the auctioneer's onding. I thocht yon's nae a job for me, keepin the tally at sic a rate, I could hardly coont at the best o times faan it wis aa quiet an me maleen, nivver min in the midst o a clamjamfry o stots, a catechis o prices an a wheen o men corrieneuchin aa roon me.'

This book as a whole could be called an exercise in devotion. It is the story of the early life and schooling of a lad from an Aberdeenshire farming family, grateful and affectionate towards hard-working parents and ancestors, kindly teachers, friendly playmates and classmates and a variety of village and country acquaintances. It is written in the language which all used and understood in the ups and downs of ordinary life – a language not much researched or studied but accepted as the basis of Scottishness and fellow-feeling. We accept without question that the school-children of today should in the course of education learn a second language, French or German and perhaps also

Latin and Greek, to place beside the standard English of the classroom. Is it not perhaps time that the Scots prose of everyday life, the vernacular prose that we pick up quite spontaneously in regions like the Poor Man's Country, or the bothy ballad country of North-east Scotland should receive more learned attention and enjoy the honour of being recorded in print?

Cuthbert Graham

CHAPTER

1

'The puddle was quite big, so he leant over it to see how deep it was, and there, looking up at him, was a boy. A cheerful-looking boy he was, too, with a wide face and a nose like a button. Timothy thought he had seen him before somewhere, but he wasn't sure where. He smiled and the boy smiled back.
"Hallo", said Timothy.
"Hallo", said the boy.
"What's your name?' asked Timothy.
"Timothy" said the boy.
"That's funny", said Timothy. "My name's Timothy too." '

H.E.TODD: *Timothy Puddle*

Sim was my hicht an wecht, my age tae the meenit. He was a named ghaist, a speerit nae tae be feart o, for I brocht him tae life faan I was fower year aul an maleen on a ferm as big as a country. He arrived ae day at the back door o my mind, the bridder I nott maist faan a ploy was startit or a cantrip wis begun. Faan the seesaa coupit doon an stranded me stuck at the laich end, faan the barra was lairt and the wheel widna rowe, faan the baa widna stot back tae faur I wyted for't – Sim was the leal frien, close by as seen's he was cried on. He was ready for onything, as gweed-nettered or as black-herted as masel. On a gweed day we cairried pails and geddert kinlin or colleckit eggs; on a coorse day we tormentit the powser till the peer breet spat at the pair o's an his fuskers bristled an his tail tittit at's.

I spak till him aa day. My secrets, hidey-holes, ferlies an meshanters waur his ana. The taste o a fleg or deleeriet fun was aa een, a ticht baa doon in the wyme an a puddock loupin faur yer thrapple eesed tae be. Sim kent faat I felt, faat I said an thocht. He was a pair of lugs for me tae yammer at, a pair o feet trackin mine up the close or roon the rucks in the corn-yaard faar een o's could be Livingstone an the tither een was Stanley, as we ran intil each ither a lang wye fae hame or denner-time. He was a teem sclate, Sim, wytin for me tae scratch the shape o ma days an nichts on his braid face. I read him the ferm oot loud till he kent it by hert.

Grey steens an girss: neen o't was massive, braid or braw eneuch tae tak yer braith awa, there was nae enormous sicht tae full yer een or an expanse o broken grun for yer admiration, it was a fyowe biggins an a hoose staunin slap in the middle o the brae doon tae the burn. Ye wad hae nott some reason tae remark on's, faur we waur: neither prood on a high rise o hill nor lythe in a boskit howe, nae jewelled wi watter or brave wi trees, nae laid oot wi new Dutch barns, nae aul an bonny wi an ivy breerin on the waas: a craft coming on tae be a fairm, tae me a byordnar place faur I was Crusoe come tae land an lordin it ilka day. We had a fyowe nowt an a puckle sheep, fyles pigs an their litters, a Clydesdale an a tractor, though faa was aulest ye wad hardly jaloose, the horse or the green Fordie. The horse made a lot less soon; for aa the size o him his muckle feet kirned up a weet park neen at aa. Faan I was liftit up tae sit on him I felt engulfed wi air an strandit on the magic carpet o his close broon hide, an his hair probbit the back o my bare knees. The wiry tassels o his mane afore me, the bunched frondage o his tail ahin, he cairriet me like a hoose hauds a lum, swingin his feet forrit an coupin me fae side tae side in time wi him. His lugs twitched faan he felt the fleabite o my drummin heels. Ae day faan we were takkin hame coles o hey wi the horse ruggin em wi chines wuppit roon the fit o the coles I was sitting on tap o the hey listenin tae the reeshle o't, faan Jock stoppit deid in his tracks an the speed o't upended me doon aneth his back legs. He steed like a statue; I loupit clear o him an for a meenit naebody leuch tull they saa me shakkin in ma sheen an tryin tae mak on it was aa meant.

The parks foamed roon the steadin like a dam roon a boulder squaur in the middle o't; the green tide creepit up tae the stoot shapes o byre an barn an syne fell back on itsel an rippled tae the dykes faur it was keppit an turned again. Fae the back o the corn-yard we saa naething abeen's save girss or corn or neeps; in front o the hoose we keekit ower tae the humpy-backit silhouette o

Brownhill o Annochie, wi the cotter-hooses doon fae't an staunin close by the trail o the burn like a pair o sentries guardin the near wey tae Auchnagatt ower the roadie that the postie took on his reid bike. Broonies was aye dirdin nicht an day wi yon generator at made his power for him; a hert-beat that put-putted ower the parks. West o the steadin we had a lang park we caa'd the prairie, an syne the grun fell tae the Maud line an the wids o Nethermuir, an that was anither dull beat fyles, the thrum o a train breengin doon the line an wakkin the doos oot o the trees an fleggin the stirks that Alec Smith kept on the main-road side far oot o sicht o Kidshill. So we'd a train for company, though it was gey far awa tae be ony eese, it was nae mair nor an iron snake slidderin tae Maud wi a brief rummle. Hine awa tae the east was Clochcan, faur the skweel was, an a hanfu o hooses dottit here an there. Fowk said that Clochcan was the place o the fite steen, they had fund sae muckle o them in the meers an rushes. The fite steens waur milky, veined wi their immemorial cracks an stripes o a dark hue; maybe the maist o them had been geddert for gairdens an so on but ye could still see bi the roadside the odd bonny een.

The set o the fairm, lookin doon fae abeen, nae fae Jock's rigwoodie but a hantle hicher, was a squaur lay-oot o twa lang sides, richt-angled an jined, an twa broken sides – the hoose at the fit o the close, wi the aul railway carriage side-on tae the en o't, ben faur we bilet tatties for the hens in the wee shed that latched on tae the east gavel like an efter-thocht. We had a gairden, held captive fae the muckle furth bi a shooder-high hedge; a fyowe saplins grew in ae neuk, an the widden privy steed at the tap-en o the young trees. A dyke ran frae the kitchen-windae tae the gate o the laich park, pintin the wye o the short road that jined us up tae the brae-face road that took ye tae the places ower the tither side o the slope, Alec Smith's and Dod Cadger's and Dod Dawson's an Aul Joe's, Dod's father. The corn-yard rose ahin the strae-shed, the rucks ticht wi shaves like a waa's tirred wi' bricks, frienly the closeness o the muckle shapes, saft but solid: the corn-yard was made o neuks an circles, made for jinkin roon an hidin in. There was a symmetry till't ye wadna notice till ye'd seen foo the space atween rucks was the exact span o cairt wheels but nae wheels aleen, ye had shelvins an syne shaves stickin oot fae a fou load tae tak intae the reckonin so that a man forkin up wad hae juist sae far tae fling an nae mair – an the hicht was juist as far fae the boords o a teem cairt as a man's airm was up till. Rucks grew bi a hantle laws an a fyowe nuances o calculation nae man had workit oot but he kent it in his bleid, bi the sark-sleeve rowed up ower the funny-been, bi the dyowe on a broo. An aul waal pined at the park gate, the pump staunin frozen in the lifted poseetion, a lang haunle hingin like a broken airm naebody wad haud again.

The railway carriage backit on till a laich dyke an atween at an the quarry-park was an open space fou o rank girss an divots at naething was deen wi. Here lay the aul foggy timmer-seat o a gig, reistit atween the shafts that girss noo happit an beeriet some year in, year oot. A yaird or twa nearer the hoose we had signed ower a neuk for the trock we wad nivver want again, roosty bits o aul harras an teem ilecans an breid-tins wantin a lid, odd ends o wire an twistit iron an fyles an aul jaicket wad land on the hullock, oot o wir sicht, oot o wir road. The gairden was left tae look efter itsel maist o the time: an up fae the bittie faur a reid-currant colony tchauved tae survive we had hen-hooses made oot o planks an corrugated iron. A roch steen track gaed up fae the road on ae side o the hen-hooses, an took ye tae parks on the brae-face. Richt o the track was the midden, hard by the side-door o the byre, handy for barras on sliddery boords tae come dystin oot an ram-stam ben tae the edge o the boord an syne, gin yer feet waur still takkin orders, ower gaed the snoot an up gaed the haunles. Gin weet sharny wellingtons didna skite, an gin yer hauns had a gweed grip, ye waur aa richt: but a rinnin wecht on a sypin boord was fiky tae steady, an fyles faan the wheel slid ye waur sair made tae keep gyaun yersel an the haill thing wad rug ye ontae the dung an ye waur laired in a clort o shite ye could hardly meeve in.

A fool bree drained aff fae the packit midden an lay at the dyke ben tae the aul stable, the strang hole we caa'd it. I thocht ae day I could loup fae steen tae steen richt ower't, but the weet made them waur nor ice tae balance on an I tummelt in tae the cyard watter an lay face doon in't skirlin like a stuck pig tull Mam heard me fae the kitchen an hauled me oot an inside for a washin that gey near rubbit me oot o sicht. We had a tin bath wi haunles, an ye were scuffy for room in't, though the heat fae the Rayburn mair than made up for the want o claes faun ye were plunkit in an the kettle o bilin watter trickled at yer back tae keep the temperature up. Stem floated up throwe yer een an yer hair; it was a bit like smorin in het snaa. The soap took a gloss on't like a weel-sookit sweetie, it was aye slippin awa fae ye. The vest hingin on the Rayburn rail huggit yer skin efterhin as close as the watter did. I put up nae fecht aboot baths except faan we'd fowk in, an syne they wad stop their newsin an sort their cheers oot tae glower at ye sittin there, nyaakit as a chucken. They cairriet on, the big fowk, as if this was faat they'd really come for. They spak aboot ye as though ye wisna there. 'He's smaa-beened', een wad say, in the same tone o voice he wad size up a stirk at the mart. 'Oh, see at,' some daft woman wad say. 'I think he's got some soap in his een.' A man wad lean forrit an mak on he was whisperin, 'Nae piddlin in the watter!' an syne wallop his knee wi a neive at his ain joke, an the feels o visitors wad keckle an lauch, they were waur nor bairns. A wifie micht be a hantle feart her man had geen ower far, so in she cam wi some serious lees: 'He's a growin loon, though, fit a bonny heid o hair, Mary . . .' an so on. I was fine pleased faan they'd something tae spik aboot amon themsels. Faan the tae was made the vistors werena expeckit tae mak their ain pieces: Mam hauned them a plate wi the safties spread for them wi jam an butter, an havered. A havered saftie was gettin on for posh. Syne cam the slabs o currant cake an biscuits on anither plate, an that was gey near tae bein genteel. Mam made her tae the wye she'd been brocht up till, hotterin het on a low gas till the pot was nearly dancin, an the tae was strong eneuch tae creosote a post, Dinnes tae my father caa'd it, efter ma mither's maiden name. So some fowk wad droon their Dinnes tae tak the fire oot o't an temper the strength o't, if they waurna eesed till't, an speirin fowk gin they liked it weak or black was nivver heard o, at was definitely refined.

Faan I was putten tae ma bed I sang for oors, either tae naebody bar masel or else my father an mither. I stoppit een an yokit intae the neist een afore they could tell me they were deaved beyond endurance. The wirds were dootfu, it was aa volume an stamina at coonted. I wheepled awa at the rhymes I heard on the wireless ilka efterneen, missed oot the bitties I couldna mine an added on faur I ran oot o lines. I was nivver lonely in the efterneens, faan the wireless wifie said 'Are you sitting comfortably? then I'll begin' an aff she gaed, the piano tinkled an the notes flew like a collie snappin its teeth. Her voice was deliberate, slow an awfu precise, as if she'd thocht aboot fit she was gyaun tae come awa wi neist; even her lauch was tidied up quick in case things got oot o haun an she startit enjoyin hersel. The Pieman met in wi Simple Simon, Polly was tellt time an again tae put the kettle on an Suki was the contermashious vratch that took it aff again. Later on i the efterneen, efter fly-time, Dr. Dale newsed till his wife's mither, answered the phone, ate shortbreid, sweeled doon a sherry or twa, an coped. He was aye drivin awa till a crisis in his faist car, an as seen's he was oot o sicht the gairdener was in at the back door an pokin aboot, looking for shortbreid, I suppose. Mrs. Dale's mither ruled them aa, kept them richt an made tae for the gairdener. Mam maybe envied Mrs. Dale haein sic a braw snod hoose tae bide in, but I wished I was Mortimer, or fativver ye caa'd him, the mannie at delled not, neither did he spin, but he fair got throwe a haill lot o bakin.

CHAPTER

2

'Before vice and shortcoming, admitted in the weariness of maturity, common enough and boring to make an extended showing of, there are, or are supposed to be, silken, unconscious, nature-painted times . . . Early scenes of life, I mean: for each separate person too, everyone beginning with Eden . . .'
SAUL BELLOW: *The Adventures of Augie March*

In the Mairch o forty-echt, faan he was juist ae year short o echty an an aul deen man, Willie Dinnes, my mither's father, was brocht tae Kidshill tae be lookit efter. Mam made up a bed in a room up the stair, but he said it was ower caul so they took him doon tae the spare room ben the lobby an lichtit a fire for him. Granda lay in the far neuk an imagined he could see in the shaddas his horses comin till the en o's bed. He tell't my mither in the morning that he could feel their het breath. Granny Dinnes tell't me nae tae career ben the linoleum on ma trike, Granda was needin peace an quaet. He dee't on the evenin o the seiventeenth; the horses turned awa an backit oot o his dreams. He'd been a crafter man aa his days, Willie Dinnes; a wiry, spare man wi a widder-beaten nerra face an high chik-beens. He nivver kent saft livin an he dee'd in hard widder at the hinner-en o winter. He left Granny and seiven loons and two dothers – Mam was the last bairn, the second quine. She had been brocht up near Fyvie an by the time she was mairriet the ither eens were spead oot aa ower the face o Buchan, wi een or twa o the men in Aiberdeen in the bobbies or engineerin.

Granny bade wie's, fyles, at Kidshill: she was a V.I.P wi an aapron on, special but nae different, honoured for aa the wecht o days an the tumult she had warsled throwe but nivver pampered, she socht nae spilin an she got neen. She was aul, I thocht, but she nivver got auler. I saa nae change in her ilka time she came, for as seen's she was inside an busy again in the kitchen or sitting wyvin bi the fire it was as though she had scarcely been awa. Noo an again she wad stop her wyvin an lay doon the shank an speir at me ower the tap o her glesses if I would like a story? Aa Granny's stories cam oot o the Bible. Joseph an his cwyte was een o her favourites, aboot foo the loon fell oot wi his brithers an was sell't an taen awa fae hame an even jiled for a fyle, but he got awfu chief wi Pharoah in Egypt tellin palace fowk faat their dreams were aboot. I sat, in a dwam nearly, mesmerised bi the tale an the heat o the fire baith, looking deep in the reid hert o the lowe at the dancin yallas, reids an greys, an thinking foo braw the cwyte wad hae been, foo radiant, like a rakit bleeze . . . an there was Noah biggin an ark tae haud beasts fae ilka airt, the big breets fae the jungle an the flechs side by side, twa bi twa. Efter a lang spell on the watter a doo an a raven scouted for dry grun so that Noah could get back tae his ain wark again, he was a fairmer really an he was mangin tae get haud o the ploo-shafts an haud forrit wi the craps.

Granny's voice, faan she spak o the Bible men, took on a rhythm an a warmth: she kent the sagas in her bleid as weel as her heid, she'd lived the famines in Egypt an the flood ower creation. Her voice revealed her, for she'd nivver eence been ootside hersel and heard hersel or listened fae a distance, she was as captivated as me bi faat she spak o an the lift an faa o the wirds made her soon like the tale was maet an drink tae her, an so it was, ilka dot an comma o the Wird was barritchfu, laden wi pooer.

Faan Granny smiled at me or liftit her broos tae mak on she was fair stammergasted tae see me, her haill face beamed on me like a frienly sun. I feasted on her patience, her vast solace that laisted and laisted an nivver failed me. Faan I ran till her greetin efter a tummle on the close, or faan things wadna jake for me an I got doon-herted an woe-begone, Granny scoopit ae neuk o her aapron up tae ma streamin een, an she speired 'Faat ails ye, loonie?' in sic a wye that I kent, nae maitter faat it was, that ony dool o mine was hers ana, an ony blame I took she'd saften straicht awa. I gloriet in the welcome o her airms an the sweet, clean lavender smell o her, an in the lythe o her oxter I was aye, like Noah, hame again efter the wattery storm, on solid grun.

I was putten tae sleep wi her fyles in the en-room up the stair faan I was big eneuch tae cope wi a mattras. 'Loonie', she wad say, faan she'd sattled hersel, efter the pechin an sookin in o braith, the arrangin o her goonie an the sortin o the quilt, the plumpin up o the pilla an aa the wee details o her ritual waur seen till, 'Loonie, hae ye said yer prayers?' The room grew quaet, like a teem kirk; nae a moose stirred, nae a boord creaked. I said intae the dim religious dark that I didna ken ony. Laich an slow she whuspered 'As I lay me doon tae sleep . . .' an stoppit, for me tae say't efter her. Aa the wye throwe to wir shared 'Amen' I said it wie her, even the bit aboot deein afore we woke up. Abeen wir heids hung a text in a frame: 'The Eternal God is Thy Refuge and Underneath are the Everlasting Arms.' A basket o roses scattered aawye lay in the bottom richt-haun neuk.

There was eence faan I thocht Granny was deein. She'd a hoast an the doctor had gien her a bottle o stuff tae tak for't; she full't a speen, in the kitchen, an flung doon the mixter wi mair force than she nott, an faan it gaed the wrang wye Granny doubled up in front o me, loot oot a bark that wud hae fleggit a teuchat, an began fechtin tae get her win back. I kent she was done for. I took tae ma heels like a rubbit an ran ootside tae get a haud o ma father; 'Come quick,' I skirled at him in the neeps, 'Granny's deein!' 'Faat?' he roared, straichtenin his back. 'She's kowkin!' I roared back at him. He flung doon the tappner an wided ower till's, twa dreels at a time. 'C'mon,' he said. He strade intae the kitchen, me ahin him. Granny was sitting end-on at the table, dichtin her een wi her aapron. We had a fly-cup an a jammy piece.

Flys were impromptu an deeliberate, as the mood took Mam or Dad or baith o them. If ma father cried in at the hoose for a box o spunks or tae rake for a screwdriver that mith be in the press at the back-door, or it mith be in the laft or flung doon on the neep-shed fleer, he mith at the same time keek at the dresser clock an speir gin the kettle was on, an if it wisna it wisna lang or it wis. Cups on the table, withoot saucers, an slices o loaf waur cut an the jam-jar was passed roon. Ma father was fond o sweet things, jam or seerup or sugar or sweeties: especially jam. He wad slaister jam on tae onything – loaf, baps, scones, butter biscuits, oatcakes, puddins an even, faan Mam wisna watchin, on the tip o a knife-blade dippit in the jar syne wheeched oot like a snake's tongue intil's mou! He could dee't withoot makkin the steel clink on the gless rim. Mam made a lot of jam faan she got fruit, an her rasps an straaberries were aye my favourites, I could manage fine withoot rhubarb but for some antrin reason there was aye mair rhubarb nor onything else. Seerup was aye on the table ilka supper-time, an fyles at wir denner faan a milk-pudding like semolina or custard was takkin a fylie tae ging doon a speenfu o seerup was foldit ontae the surface o the platefu; the warmth o the puddin made the tricle ooze an rin an clarted the speen wi sweetness. Fyles, for a change, we wad hae raisins in the semolina, the grainy blobs o fruit left a clean wash o taste faan yer teeth squeezed the juice oot o them. There was a joke in the hoose aboot at kin o puddin: Dad wad powk roon and roon in the plate an peer doon at it like a cat peekin intae a bottle, an syne he wad speir gin ma mither had been staunin gey far back fae the pot faan she flung in the raisins. Custard wi rasp jam in't was a rare treat, it lookit like the man in the meen had a bleidy nose.

If a neebor cried in, a fly was for certain. Some travellers were sure o een, an some werena. Uncles fae Aiberdeen wad hae got tae at ony time o day or nicht. Jack Robinson the postie got a fly ilka mornin, roon aboot ten o'clock, maybe. His reid bike was proppit up against the kitchen dyke, the black clips cam aff an his bonnet was laid doon an he snooved intae the cheer bi the windae for a bap an a fou cup o Dinnes brew. Efter he was deen he wad roll himself a fag an licht it an newse for a meenit or twa. Jack brocht the *Press and Journal* in a fite wrapper wi a reid stamp-mark faur the stamp should hae been. Efter he was roadit again the paper was rypit for deaths, merriages an births, in that order. At the back o denner-time an efter the supper was deen it was pickit up again an kaimed for news that maittered, wird o roups, beef prices, faa'd gotten the jile for faat an foo muckle so an so had left. Bi supper-time the mannie on the wireless was on aboot the Prime Minister an disasters, an the widder forecast for Rockall,

Finisterre an the Shetland Islands. In the winter it was aye announced that the road fae Cockbridge tae Tomintoul was blockit first afore ony o the lave. On a Setterday the fitba results cam on an syne Scottish Country Dance Time wi a different band ilka week or so the mannie said, they were aa een tae me. The tunes had names ye couldna forget but the tunes themselves were same kin: 'Kiss me quick, my Mither's Comin,' an 'Kate Dalrymple's Hornpipe.' Come half echt in the mornin the wireless wis on again for the News at echt o'clock; for a lang time I thocht ere wis only twa times in the day faan ye got news, echt an sax.

Faan a chiel was in at I didna ken sae weel it was aa I could dee tae keep fae glowerin at him like a specimen fae some orra place at nivver saa the licht o day lat aleen oor hoose. I faistened on his face faan he spak as though wirds drappit fae his skin an ye had tae kepp them afore they got awa fae ye. Mowsers were best, they were a haill story aa tae themsels: fuskers an bairds were a treat but they cam but seldom. Bellt heids made ye mine on picter stories like the *Sunday Post*'s nickums – they aye got a rise oot o somebody wantin his thack or mair like the thing, they aye funn oot faa was tryin tae mak on they had hair an wore a wig tae mystify them. A man's heid o hair had the marks o his bonnet: lyin flat for a fyle afore he'd his haun run throwe't or he yokit his powe. I sat an took in the wye they smokit, for aabody hid their ain peculiar wye o't. Some wad take nae mair than a draa or twa for ilka inch o aise, an some wad sook at a Woodbine or a Players like it was life itself tae them. Men wi pipes hid me leanin sidewyes tae see faat aa they were deein, teemin the dottle in ae haun, cuttin the Bogie Roll wi a knife an parin the skelfs aff, workin the black wee skelfs in the palm tull they were murley, cowpin the teem pipe (efter a herty souch o a blaa tae clear the stem o't) so they could work the baccy intae the bowl wi a finger, tampin doon, lichtin a Swan Vestas an newsin lang eneuch for the spunk tae be gey near oot on em but na, at the last meenit doon gaed the flame ontae the trumpit Bogie and they were pechin an puffin an newsin still aa at the same time an the baccy was reid, the lid appeared oot o naewye an was clappit on an the reek rose tae the ceilin an hung in the air, swatches o't as thick as towe. The petrol stink fae a lichter! an the bonny knurled wheel, birlin aneth a thoom an syne a spoot o fire!

Smokin efter a cup o ma mither's tae, men got tae be confidential, sorry for themsels if they were gyaun throwe a roch time o't, quaet bi the fireside faan they got on tae coorse luck or an upset, lauchin at aul stories aboot men they kent an the stories they kent, but the lauch still lay deep doon in the hert o't, watter fae an aul waal at only nott a heist up an intae the open an the fun was as fresh as it had ivver been.

'Wis ye t'e roup on Setterdi?'

'Naa naa, I didna ging. I wis kinna hinnered a bittie onywye, bluidy beast wis calvin . . . gweed stuff wis there?'

'Nae muckle, but awfu chepp min, yon's a helluva come doon thon, especially, noo, ye ken, this time o 'eer.'

'Oh he's a puir bugger yon, nivver oot o the bit, eh!'

'I kent him a lang wye back, he wis aye the same . . . Lord, ye wad hae thocht he wad mak something o't.'

'Arniebogs ere?'

'Na, na, na. He's still aff the road, oh, seiven, acht month seen, wisn't it, faan he drave hame fae the mart fou tae the gunnels an the bobbies cam on him half-wye doon the skweel brae half ower the dyke an he was sittin ere glowerin at his ain face in the windscreen, mind, an the bobby said 'Weel, Geordie, ye've taen an ull will at the dyke, min,' an Arnie leuch till himself an says 'Aye, b'God, an it nivver did me ony hairm, nae tull noo, onywye' an they got him oot o the car an the bugger couldna staun, lat aleen ken fit day it was.'

CHAPTER

3

> 'No cartographer can trace on any known map the place where we were born and bred. Unlocatable is that lost land where we first hear someone calling our name. Gone is the place where we learn to speak and read and laugh and cry (or, worse, not to cry), gone like trees walking . . .'
>
> DENNIS POTTER: *Hide and Seek*

Eastlin fae's an up abeen the parks that ran doon tae the quarry aside the burn, wis the place o Kidshill, Joe Dawson's fairm. He'd been there some time, Aul Joe an his hoosekeeper Mrs. Smith, an his femily wis up an fairmin near by or lookin efter a shop near haun tae Ellon an so on. He'd a fyowe fee'd loons, een efter the tither, but ae chiel wis aye there near aa the time; he gaed aa wurth i the queets noo an again an couldna walk richt for hauding himsel in a funny wye an hirplin doon the close pirn-taed wie the pain o't. The younger loons got a ploy gyaun an made a car tull themsels, or maybe sorted up a motor that wis gey near ready for the scrap-heap – onywye, they roared aboot in the contraption, the reek spewin fae the exhaust like a bondie o weet leaves gyaun up. The sides o the car waur bare metal, an the back-en o't wis laich-kine, but the guts o't waur aa there.

The road tae the skweel gaed stracht throwe Kiddies, the steading on the ae side an the cornyard on the tither. There was a Bubbly-jock aye showin aff tae the hens an the geese an the odd bantam in the cornyard, an he nivver gee'd his ginger aboot us till we started tormentin him, wavin sticks an makkin on we were gyaun tae gie him a hidin. He steed it sae lang an en he'd blaw some win intae his kist an flee at's wi his heid doon makkin awfu gobbledy-gobbledy soons. We werena sae croose faan he started this, an we were seen dreedin the verra sicht o him. Ae day we were comin doon bi the cornyard an we ran intae Aul Joe. We were aa gled tae see him, though we wadna hae said so till een anither for a king's ransom. Aul Joe speired fit wye we were gyaun sae slow, an we tell't him the story aboot foo coorse the Bubbly was an we'd nivver deen him ony hairm. Aul Joe jaloused the haill truth in a flash. 'You torment him again,' he said, 'and I'll scone yer dowps for ye, ye wee buggers.' The Bubbly nivver lookit the wye o's fae that day on.

Ae nicht in Kiddies we were newsin wi Aul Joe an we started tae mak for hame but he wad hae neen o't, we wad hae a haun o whist wi him. Ma father jibbit faan the cairds cam oot, he kent fine at eence they got yokit they wad nivver lowse. Aul Joe priggit an damned a bit, but it made nae odds, it was me they were fechtin aboot an fit time o nicht wist for a loon tae be up. So we up and awa an left the aul man powkin awa at his reid een wie the khaki hanky, he had wattery een an he wis nivver deen dichtin em, especially faan he leuch. Aul Joe could look like a man greetin faan he was enjoyin himsel. The hanky cam oot faan he tell't the story o the yowe an the aul wifie. Een o his sheep had gotten oot an taen a dander throwe the Bulwark, till an aul wifie shut her up in a shed and got wird tae Joe she'd a haud o his yowe. So Joe gaed doon for the beast, an afore he got roadit again he said tae the aul cratur faat was he owe till her, nivver thinkin she wad tak a ha'penny. The canny aul wifie thocht for a meenit an syne she cam oot wi an amount a puckle mair nor the ha'penny but a lange wye fae a poun. Aul Joe dived intil his pooch for his wallet an tore oot a poun note an stappit it intae the wifie's haun, an clappit her on the back – 'You tak the poun, mistress,' he said, like he was her uncle, 'An en I'll nae be beholden tae ye fir the yowie!' An the aul wifie took it. Aul Joe got mair oot o the grippy wifie than she got oot o him. 'I gaed er a poun, Jeems!' he wad roar at ma father, duntin a neive on his knee, dabbin awa wi the hanky.

Dod Dawson wis in North Kidshill, a place aboot sizes wi oor een. He wired intae things, loupin on tae the Fergie an hashin on mornin an nicht, a Woodbine in his mou richt doon tae the last draa afore he brunt himsel. He was a sma-bookit man, Dod, an his wife Bet was aye smokin in her trig wee kitchen, flingin her heid back tae clear a wusp o hair fae her een an staunin at the fireside wi a cup in ae haun an a Woodbine in the tither. They had Ronald, but he was nivver onything but Dowster, naebody kent fit wye: Sheila, an Tam, an he was ages wi me. Sheila was her mither's double; Tam was a gweed-nettered sort, nivver up nor doon, a loon set on fairmin an beasts an tractors fae the onset, he was fair keen on the Fergie and he could go her afore some loons maister a bike richt.

He was a great een for horses, Dod, nae for workin em but drawin – a fyowe lines wi the pencil an ere was a thoroughbred. Roses were easy till him ana: a birl o the pencil, an a fleck here an ere for shadin, an the floor grew richt oot o the paper in front o ye. My father said he could hae deen something wi gweed hauns on him like he hid, but Dod tchauved awa neist Aul Joe on tap o the hill, gloryin on, sweirin at weet grun an broken draw-bars an scoor amon calfies an roosty harras an the price o fags.

Mrs. Smith grew nae weel an it was in the skweel holidays, an Mam put me up tae Kiddies noo an again tae see foo she was deein. As I caad up by Cadger's on the bike this day Dod cam doon fae Kiddies in his Austin Seven, an faan he was level wi'es he rowed doon his windae and stuck his heid oot an said tae me 'She's awa.' I thocht maybe Mrs. Smith was in a hospital or maybe even aff tae New Deer for the day so I said tae Dod 'Faur till?' an he said 'She's deid'. The men roon aboot an a puckle weemin gaed up tae Kiddies for the funeral, an the minister read fae a book on the front doorstep aboot the peace Jesus left ahin, not as the warld gave but as He gave, it was His peace an in His Father's hoose waur mony mansions. Men steed in the gairden, glowerin at their sheen. Faan a drap o rain startit in the prayer they liftit their hats or their bonnets at an angle fae their bare heids. The lang kist was taen oot wi a man at ilka neuk, their airms raxed oot tae the shooders o the man pairin them. They sattlet the wecht faan they waur aa on level grun an they cairriet the coffin tae the hearse, their heids held at an angle like the hats in the gairden. They lookit at neen o's but stracht on, intae naething, as gin they waur seein deep intae themsels. The fowk won intae their cars an they set aff tae the cemetery, lichtin their pipes again an newsin a bittie, aboot foo lang they'd kent her, an foo faur they waur ahin wi the craps, an faan wad the widder slacken.

Wi the hoose teem o weemin, fowk said, Aul Joe wad be beddit boss mony a nicht. But nae for lang. He brocht in a quine tae tak things in haun for him, een o the grandothers or faaiver, an Peg wasna lang or she got him sorted oot. She was a game quine in her slacks an her fags an her lauchin een, an swack tae faan she hid tae be, sortin beasts or forkin or widin throwe weet parks efter kye like a born feed loon. I kent fine she spiled the men o the plac, for I speired ae nicht fat she was makkin for e supper an she tellt me fried tatties. Peg had a shalt an she gied him the open road noo an again an ae day she gaed by's on wir wye tae Clochcan tae the smiddy for a new shoe for him. Peg had a lad tae, as weel's a shalt; she spak aboot dances on Setterday nichts at Mintlaw Station an so on an foo she could hardly wyte for the neist een, for ats faan she'd see him again. She wad keek at ma mither an giggle aboot foo sair made she was tae get throwe sax days atween the Setterdays, an she said that maybe ma mither mined on fat she meant, an Mam smiled.

So he was gled o the quine, Joe, an faa could hae blam't him, fyowe eneuch o the ferms roon aboot had a strappin lass handy wi a spurtle or a graip, an bare airms tae ging wi't gin it was a het efterneen. Some o the weemin were either in aaprons or maazies aa the time, but Peg was the richt side o twenty an blouses sat snod on her, ticht in the places ye micht notice first. Fyles she wad newse tae Mam aboot fowk she kent were haein their femlies, an foo they were 'expectin', nivver mair nor less, for fear of foo near my lugs micht be. Nae that I kent faat 'expectin' was, but a hush wad faa faan they said it in the kitchen.

So, I wisna neen the wiser faan Mam gaed awa at the hinner en o ae September for a wik or twa an Granny cam, an we geddert eggs the pair o's, an we hearkened tae the teuchats an she made wir mett an if Dad tint his bonnet she caa'd aboot for't till im like Mam had tae dee. I was fower an a half, an maybe Sim was a close a frien as I could hope for, an aiblins I thocht naething wrang wi a lang veesit fae Granny an her smiles an sweet smells. Onywye, ae day the car comes intae the close an Dad gets oot fae the front seat an opens the back door, and Mam steps oot laich, wi her heid doon, an a bunnle o blankets in her bosie, an faa should be lyin there but a bairn I'd nivver seen afore, nivver heard o, an Mam said she was my sister, an Granny cluckit an peched an crooned awa tull I winnered tae masel gin she'd ivver seen a bairn afore. An Dad wisna like himsel, wi the foreneen weel on, an him sittin at the table an nae drinkin tae, an aabody's een's on the wee face smored amon shawls an her een shut gin she wisna sure o faa she'd faan inwie an she wisna gyaun tae finn oot in a hurry in case it wis nae fit she'd hopit for. Sim was a shadda, richt eneuch, compared wi this. They watched her liftit up tae Mam an the wee face brocht her mou up tae the breist an the hoose was quaet for a lang meenit, neither the bairn nor the big fowk made a move nor a soon. My sister. They caa'd aboot for a name for her an syne the meenister was nott, an she was Hilda, an we had cake an a fite stork on tap o't haudin a basket on a ribbon fae his neb. An I got a new pair o black beets at liftit ma feet aff the grun faan I walkit, an I gaed up an doon the close lookin for sma steens tae kick tae glory.

CHAPTER

4

'Self under self, a pile of selves I stand
Threaded on time, and with metaphysic hand
Lift the farm like a lid and see
Farm within farm and, in the centre, me.'

NORMAN MACCAIG: *Summer Farm*

Men roon aboot, fae the bigsy types tae the daicent five-echters, got caa'd bi their toun's names, as though a chiel was nivver bigger nor his grun an graith. It shrank a man, if he was ivver like to be a thocht abeen himsel, tae be nae mair than 'Bogie' tae his freens an faes, though he was lang sat doon in Boghead o Kinaldie, faat maittered it foo lang his haunle was gin ye could spik o him withoot liftin the pipe oot o yer mou? There was a doon-takkin humour in't, tae be able tae skite ower a gran name wi a lauch or a spit. Gin a fairm was Clatterton, an even hid a sign up at the road-en vrocht in iron an braw wi curlicues, the fairmer was 'Clarty' for ivver an a day. But there was mense in a name tee – mense in the haein o't, in the bein o't. Ye won throwe tae the name bi the nerra yett, ownership. A man micht tchauve for his faither fae the time he was a halflin, he micht see the day come faan his faither wisna able, an he would tak on mair an mair o the darg o the place, rax himsel mornin till nicht, sell beasts an buy seed, order fae the traveller, scrieve on the forms for subsidies an aa that, as lang as the aul man drew breath the sin wisna Drumbeg, nae till his faither was awa. An syne, faan he was aa his leen instead o bein aa his leen like he'd been afore faan his faither was alive an wisna fit tae wark, seen's he was yokit wi the name aa till himsel fowk startit in tae compare foo puir a job he was makkin o't, they said he wisna hauf the man aul Drumbeg had been. But at a mart or a roup, faan the auctioneer pinted his haimmer tae the back o the ringside an dunted his desk an said 'Baddyfash' or 'Slampton' or 'Cairnbog' it was a man he meant, the chiel he spak o was the livin, human face o the acres an hulls an howes that gaed bi the title. On a fine Mey nicht, at a fitba match at Nethermuir or Methlick ye mith hear a roar on the park fae a centre-forward till his winger – 'Square pass, Kirkton!' an he wad ken thon wisna Kirkton in a reid jersey an marlas socks careerin aboot, but Kirkton's loon, an the aul man wad be at hame takkin a dander throwe the girss an mutterin till himsel aboot the young generation gyaun aa tae hell, an the 'Kirkton' at the fitba was the nickname o the loon, as lang's his faither wisna there tae hear it. Naebody wad think o the Methlick ootside-left as the *real* Kirkton, it was a short-haun name for Geordie amon his pals.

Faan Dad said he thocht he'd tak a turn up tae New Deer it was Kate an Andra Watt he meant, he was gyaun tae see them at Auchreddie Road. Andra's faither was the fairmer at Fadlydyke, aboot a mile oot o New Deer itsel, but the aul man was still in the place, still bidin in the hoose, still Faldy. Andra had een o the village hooses on the wye in fae Auchnagatt, number seiven; they had ae loon caa'd Philip, an faan I was fower he must hae been fowerteen or so. Ae Setterday nicht I was putten up tae Auchreddie Road tae be lookit efter, an Philip loot me look at his cairds wi fitba players on them that he got fae packets o Woodbine an the fags the men smokit at Faldies. We sat at the table, happit wi a green claith, sortin oot the cairds an pittin aa the yalla jerseys in ae pile, the reid jerseys in anither, an so on. The girss the fitba men steed on was the greenest girss I'd ivver seen. Philip was aye cassen up tae me as a loon tae copy; his clean claes an his kaimed hair . . . an the gweed mainners o the chiel fair deaved me, an I was feart o him as though he'd promised me the biggest hidin o my life. His mither Kate was a warm, busy wumman wi an ample aapron an a wye o fixing me against her thigh in a hefty cuddle that gey near smored me. She wad speir me things naebody else wad o – 'D'ye ken ony poems?' she said, an wyted for an answer. I was ower fleggit tae respond. So straicht aff she was intae some langammachie aboot Desperate Dan an I was catechised in metre, rhyme an line till I could say't back till her. The Auchreddie kitchen smelled o pastry, aipples, polish an tabacca; Andra's pipe was nivver lang withoot a plume o rick floatin up throwe the holes o the tin lid he stappit on't. I was as feart o Andra as I was o Philip, for nae reason; he was a stoot-biggit man, short an strong, wi a wye o newsin that was as spare an tidy as he was himsel. I was plunkit doon on a cheer padded wi horse-hair tae listen tae the big fowk, tryin nae tae feel the backs o my knees faar the roch hair probbit me, an Andra Watt sat bi the fire lookin sidewyes fyles at my faither an workin his pipe ben his teeth as though it wisna comfy, an comin oot noo an again wi the only sweirin he wad dare in front o Kate – 'Good God' but it didna soon like that, it cam oot fae ahin the pipe like 'Ged Gud', a murmur really, dressed up like an exclamation. He only leuch if a thing was really funny, Andra – faan he leuch he meant it. The man was aa depth an nae surface. Naebody took liberties wi Andra Watt. There was a picter at Auchreddie Road o a pair in harness, pented in greys an greens an saft blues for the sky, the britchen gleamin bleck as seet, the flash was shinin bricht as a new shullin. The twa muckle Clydesdales, side bi side, perfect in ilka detail, hung on the waa an I was nivver deen lookin at em, but Philip had the horse I wanted maist, an I fyles got a shottie o't – a rockin-horse canted hich on its trams, wi a mane an a tail an a dapple on its flanks: for a meenit or twa, faan I was showdin on the beastie in its saft, snod saiddle I was ready to forget foo Philip gaured me grue – he was a hero syne on my terms as weel's his ain. I could thole the poems an the barkit knees aa day for a meenit or twa on the timmer naig in the hauf-licht o the lobby.

I was taen tae the barber in New Deer for a crop. The cheer was ower laich so a box was rakit oot an I was planted doon on't an tell't tae bide still. Maybe the sicht o shears in the gless was fit I jibbed at, but afore the barber had weel begun I was for neen o't, an howled an grat an joukit awa fae him. My faither peched an grumphed oot o the shop an cam back wi a paper bag torn open ben the tap, fou o thin wafery things that tasted like tatties an brook atween my teeth intae hunners o bitties. 'Ett awa, min' said my faither 'an nivver mine the barber, he'll nae dee ye ony hairm.' But nae even crisps could help me thole the clippers, the gadget wi the shiny teeth an the haunles an the sneekle-snakle birr. Noo an again the mannie clapped a haun on my tap-knot an shivved my heid forrit tae get wired in better roon the fykie bits ahin my lugs, an there was nae kennin faan the neist powk was comin nor fae faat airt. An the warst thing was, they got a lauch oot o the ootcome, faan I was stood up on terra firma lookin shorn an soberkin the barber said foo gweed a job he'd deen, it was a neat crop, an my faither peyed him an flung in a luck-penny tae pit a lichtsome cast on the carnaptious cairry-on I'd put them throwe – 'Neat, but nae gaudy, as the monkey said faan he pented the piano green.'

There was Allardyce's garage at the fit o the brae, aneth the barber, an anither garage up on the lang street that led awa tae the kirk-yaird on the croon o the laich hill abeen New Deer. The tap garage was the een oor cars were sorted in, an fyles a mechanic had tae come tae Kiddies faan we were thrang wie wark an wantin on wie something an it widna wyte, at was the verra time the aul Fordson wad devall. Solid as Benachie an twice as still, the orra breet sat in the close or at the mou o a shed or the park gate, faarivver it foonered, tull the mannie scraped an blew an sortit oot the wires an san-papered the leads and checked the compression an drookit the primer an fussled doon the feed-pipe an syne said he wad hae tae ging awa back for a new gasket an syne a shooer cam on an we had a fly. Wicks efter aa this palaver we wad hae a cry-in fae the garage-man himsel some nicht roon aboot echt o'clock, in he came tae the fireside an newsed aboot craps and nowt for half an oor an syne he said he was winnerin aboot the accoont, an Dad said he was gyaun tae see aboot it an the mannie was oot o the ingle like a brunt kittlen, he was aye short o siller an fowk said he wadna laist lang the wye he cairried on. An sure eneuch, he'd a great muckle car an I thocht maybe the mannie had as muckle wrang wi the motor as we hid wie the Fordie an it was aye brakkin doon, but it wisna that, he was gey weel acquaint wie the District Nurse, fowk said, an whether there was only truth in't or no naebody kent but he gaed doon juist the same.

The Dinnes uncles – Mam's brithers – were great engineers,

mechanics, handymen and so on. If they didna dee't for a livin they did it for fun, ficherin aboot wi aa kins o trock, deein their cars up, makkin new gadgets oot o aul junk an so on, they had gweed hauns my father said. We were the better o them mair nor eence, for young Adie Dinnes, the brither o David, my cousins but a hantle auler, Adie cam tae Kiddies an put in a watter-pump tae gies a supply straicht intae the hoose fae the park aneth the steadin. Adam, their father, was an engineer in Aiberdeen. Adie's wee dother was ages wi me, so we gaed aa ower the fairm an explored it thegither an got clartit in dubs an sharn, at last I had somebody tae show aff till. We squeezed intae the in-timmers o the aul mull an played merry herryment amon hens' nests; we made hoosies oot o aul kists hingin wi cobwebs; we tried up a laidder an tummelt doon intae the keech on the neep-shed fleer. Her frock an her face an her knees grew fooll bi the meenit but we nivver noticed, we were the first twa tae stacher ben the side-roads o a haill new Eden, an we nivver coonted on a mither wi a flamin sword comin roon the neuk on's an scraichin aboot sic a soss tae be in, an foo didn't I ken better?

David wisna merriet faan he cam oot tae Kiddies an I first kent him. He was a ram-stam, happy-go-lucky chiel, game for onything – 'Yon een'll nae stick' said my father, wie a suspicion o envy. David didna veesit us, he made an entrance. His motor-bike roared intae the close an he opened the throttle for devilment so's the soon crashed back fae the waas an the reefs an we thocht it was thunner tull we heard the chap on the kitchen door an in he swaggered, cocky like a pirate. He made himself boss o faativver was happenin – he was the hub o't, an aathing else had tae birl at the speed he rowed it at. He cheekit my mither, took a len o my father, leuch at his ain stories, played wi me, boasted an blew an fizzed like a sparkler at a Guy Fawkes bondie. He was yon kin o chiel, faan he gaed awa the hoose felt teem. An there was naebody that kent o a better exit than David Dinnes: we wad aa be staunin at the back door an David straddled his bike an kickit the pedal doon an the stramash began again an he was aff like a rubbit wi his feet up on the haunlebars or streakit oot face doon the full length o the machine, sure we were watchin him, nae fears o that, Mam was sayin 'O mercy me!' an I was gogglin at him an thocht my verra een enriched. The stew rose up an oot o the clood o't a haun gaed up an he was wavin till's wi pure bravado, I kent that was a sure sign o his class, tae wave faan he was gey near oot o sicht, sure we were wytin still at the back door. Some time gaed by an David was arrivin in a motor-car an canny-like, for fear o the pot-holes or aiblins for the quine aside him in case he joogled her, an he wad come at nicht an nae in an efterneen faan he wad rax for a fork an gobble up a raa o stooks wie's, it was a gloamin noo faan he wad walk in, shy, at the back door an sattle the quine an newse tae my fowk like a kirk elder for a fylie, an Mam made a fly an he passed roon the plate, nae neen o the bauld birkie aboot him. An syne, faan I was lang beddit, awa they wad snoove wi a whisper o tyres an nae wi a bang. We missed him faan he merried the quine an they baith gaed awa tull a hoose o their ain; an I missed his coortin, for the quine brocht Easter eggs tae get roon the richt side o me.

Andra the bus-driver cam fae Methlick in his Morris Ten, burnished an buffed an bricht wi polish. Oot at the driver's door swung his twa lang legs in a biler suit or dungers, syne his haill frame unwound untill a stretch an a yawn, ye wad hae thocht here was a canny chiel wantin virr an vigour but ye'd be wrang. Andra had a slow grin aye flichterin ower the surface o his lang serious face, a sardonic humour aye ready at a meenit's notice. He wad bring a pal fyles, Geordie Cruickshank, an they were weel matched the pair o them. Andra wad spy a baa at the back door. 'Here, Geordie' he wad yell, 'you be the goalie!' an the twa o them were caperin an cairryin on like stirks oot on the spring girss, Andra was Paddy Buckley and Geordie was Fred Martin an the close was Pittodrie, the hens took tae the cornyard an the dogs bellied doon wi their lugs forrit an I was in amon their feet trying tae get the baa back half-feart o the men but mair feart that the moment wad pass afore we'd wrung oot o't the maximum daftness. My father wad appear – 'Faa's at?' peched Andra. 'I think he bides here' said Geordie, nippin the baa fae's an firin a laich shot a yaird wide o Andra. 'Fly-time, Jimmy! roared Andra. 'Come on, min, we're nae here tae bucker aboot, ye ken!' An syne they wad stop their loupin an licht a Capstan and try tae look business-like for a meenit or twa.

Peter the bobby cam fae Aiberdeen in his Lanchester, spick an span an aye lookin spleet new. He was a thin, sma-bookit man in a quaet mainner, nae a man tae galravitch like Andra but a dry wit aa the same an a great sorter o broken things, a gweed gairdener an a skeely improviser, it was a Dinnes speciality nivver tae be settisfied wi a job half deen or a thing half-hung-tae. I got great fun oot o Andra but I was sure that Peter wis an awfu clivver bobby, I caa'd him a decketive like Dixon Hawke in the *Weekly News*. I speired, eence, in the kitchen at Kiddies, gin there was ivver ony time Peter scunnered at the police, an he sniffed up some win intae his neb an smiled an said 'There wis eence . . . aboot three wiks efter I started' an the big fowk rose tae that an keckled at him, an I was sure there was mair till his answer than he was lattin on but I couldna faddom it. Fyles Peter came his leen, like Andra, tae hyowe wie's or tae hairst, but fyles he brocht Mary an the twa quines, Pat an Jeanie. Jeanie was a littlin, but Pat was mair my age so we wad play some an fecht some an clype on een anither, like the best o friens.

Ae warm efterneen Pat a me were playin in the barn, in the shade o the strae-bunches an the stillness o a douce day. Ootside, the close dwaumed in the sun, the big fowk were newsin an we were aa wir leen, it wis een o yon days faan aa time has dwinnled tae be your time, an ilka meenit o't his its ain flavour an sweetness, a day faan ye ken ye've invented yerself an taen oot the patent an made yersel a fortune, the meenits ring fae some eident anvil like a chine made o separate an identical links an they're aa the same an aa different an aa lucky, guaranteed against suddenty, siccar agin chance, inviolate. We were playin at hoosies; I said we'd aye be thegither an she said aye, so we made up wir minds till't there an then, we wad mairry an aye be as blithe as we were, an we kissed each ither. We said we wad tell naebody. We wad keep it a secret. But efter a fyle Peter said he wad like some petrol an he was gyaun tae New Deer an wad we like a hurl, so aff we set an we were baith mangin tae spik aboot It, an faan the Lanchester steed at the pumps we tell't the garage-man, an he said that was a rare plan, an we were fair trickit wie wirsels.

CHAPTER

5

'In the sun born over and over,
  I ran my heedless ways,
My wishes raced through the house high hay
And nothing I cared, at my sky blue trades,
  that time allows
In all his tuneful turning so few and
  such morning songs . . .'

DYLAN THOMAS: Fern Hill

Dad said, fyles, foo he'e ettled tae learn a trade faan he was younger, an the chance nivver came for him except the hunner times or so he'd pickit up for himsel the wye tae tackle the ordinary an non-stop jobs that a fairm needs, for a day hardly gaed by withoot an implement that nott a tichten or a fence was in a bad wye or a hen-hoose was lattin in watter or a barra grew lame kin an so on. There was ample opportunity for jinerin an sortin an raxin oot spanners or a turkas.

I watched him wie a haimmer in his neive hittin nails intae wid like he hated the sicht o them. If a nail buckled he reversed the haimmer-heid, yarkit it oot wie the claw an straichtened the nail on a flat steen or a post. I watched him wie the tapner pouin neeps, the arc o't eident fae the funny-been roon on tae the neep's reets, slicin the clort o earth awa, birlin the neep for the shaw neist an cuttin throwe the stalk wi a clean, tidy chop. I tchauved ahin him, ower slow tae keep up wie him, ower awkward tae rax an sned an haud an slice an throw at the same lick as he gaed at. The dreel I was in was aye langer than his, aye coorser tae tackle. Besides, I thocht he was lucky, his back hidna the same time tae get sair in as mine, for if I look twice as lang as him I was bound tae get twice as forfochen.

I watched him fencin though my hert wisna in't. Fencin was finicky, bitty, an slow. I was up till't in some wyes, nae in ithers. Faan a post was driven I was handy for haudin't for the mail, the muckle haimmer wi the twa heids an the shaft o hardwid, but I hated the shiver that tingled my fingers faan the dunt came an the post sank an inch or twa intae the grun. The roch laarick scrattit me the tichter I grippit, but gin I'd lowsened my haun on't the post wad hae skewed an waur nor that, the mail mith hae sliddered aff target an that wad hae been that, ye heard stories o men that had got in the wye o a mail on its wye doon and it could turn yer stammack juist thinkin aboot it. Efter the posts were hame the wire was raxed, an the staples were haimmered. Wire was a torment, roosty an thrawn, barbed wie a double-pinted twist ilka sax inch or so that could rake the skin aff yer haun if it wisna haunled richt. The strainer stced at the en o the raa o posts, an extra stoot post sunk weel down an buttressed wie steens tae get mair purchase. The wires were wuppit roon an syne raxed; the strainer was the anchor an the fence was a lang riggin histed fae't. There was a gadget for tichtenin: a chine an a heuk an a haunle, like a block an tackle, pocket-size. My father notched the heuk intae the chine an braced himself an ruggit, the wire rose fae the girss, the notch was advanced, the tension rippled doon the length o the wire an it rose again, an so on till the hicht was richt an the staples were nott. Doon the lang line o posts we gaed, me hannin them tae my father; he put some in his mou faan he bou'd doon, sklented a glance tae see gin his level was equal, syne drave them faist an hard. Ilka time I tried it I hit my thoom, an I thocht foo that could be, Dad's thoom was three times bigger nor mine an he hardly ivver clouted himsel.

We gaed hyowin thegither, Dad an me, but nae for lang: half a dreel an I was faain ahin. I enjoyed it faan I got tae dae't maleen, takkin twenty yairds o the en-rigs an plyin back an fore, parin aff the dreels so's I could see some results. It was a slow, fykie job, a saft-shoe shuffle that gaed on an on. In weet widder faan the grun was clorty the hyowe-blade got fuzzy and heavy, ye chappit the cloupit neck on a handy steen tae clean yer edge an yer back got a rest for a meenit or twa. Heukin the spare neeps awa fae the gweed plants, scrapin the dreel tae the apex-shape, tirrin the hinmaist yaird afore ye gaed forrit, ower an ower again it was a gran job for a puckle laads wie plenty tae newse aboot, it was a sair sentence for twa chiels that werena spikkin, an it was a thankless prospect for a man his leen, for there was nae short-cut an nae respite. Ae day twa fee'd loons fae anither place came ower tae Kiddies tae gie's an afterneen at the hyowe. They drave intae the close and speired faar my faither wis. I ran intae the kitchen an said 'They're here' as though they were men o some rare importance. We got tae the park an yokit at it, but they were haveless breets an breenged on as if their beets were burnin, I caa'd them the Roch Chiels an didna badder foo far awa they got fae's. They bade for their supper an Mam made een o her specialities, macaroni cheese drooned in a rich sauce an toasted on the tap, but the Roch Chiels said they werena ower keen on't, could they have some cheese an an oatcake, that wad dae them.

Faan it cam tae the scythe my father was a dab haun. The blade was a curve gettin nerra till the pint, an syne it was lethal: fouk spak o the coorse meshanters that a bairn could faa intae wi a scythe nae hanled richt. The blade was jined tae a widden frame like a triangle, wi twa grips aboot a couple feet apart, it was a man's implement an made for a man's airm-span. The trick in't was keepin the braid end o the blade laich doon and hard by, an skimmin the grun wie't as close as ye daured withoot snaggin a steen or lairin the pint. It was aa in the airm – foo ye swung fae the shooder, foo ye held in yer funny-been so's the sweep o the blade was ticht an sweet. Deen richt it was a treat to see foo the scythe took a clean sweep o aathing afore't. Afore we got yokit wi binder an twine we had roads tae redd roon the edge o the corn, an that was my father's job, tae cut oot a border for the Fordie tae start in on. Mam came ahin him, gedderin an binnin. The binnin was tricky – for loons an feels, nae for my mither, she'd daen't for her father faan she was a quine. She geddered the cut stalks intae a bunnle, an oxterfou, an laid it doon. A hantle o lang an souple strands was wiled oot an havered intae ilka haun, syne they were crossed at the heids an knotted thegither wie a blur o wrists an the binnin was made, nae tow tae faisten't; the shafe was laid oot on tap o the binnin an the ends were crossed again in a corkscrew knot an doubled aneth for a siccar haud wi the tips o her fingers. It wisna in beuks, yon quick an souple twist o the hauns: an the mair I tried it the mair I fand oot foo weel it wised me.

We had jiners come tae pit new jeests ontae the barn-reef, an faan I saw them hich up on their lang laidders, an their belts hingin wie haimmers, I kent at was faat I wad be, a man gweed at speelin up hooses an steadins an cairryin pyoks o nails aboot wie's an a fit-rule that slid intae its ain pooch at the side o my dungers. I thocht they'd a rare time o't, faan the piece-bags were rypit an they chaffed een anither an they suppit their tae fae the lids o their flasks. We'd a frien o the fcmly, though he wisna a close relation, John Ogston, an he wad be socht tae dee wee jobs in the kitchen noo an again. He was a great laad for tae, but nae oot o a flask, oot o a cup an sittin doon on a cheer, we fyles had a tchauve tae get John on the go again but sure as daith, faan he was knypin on we wad hit on a snag an the snag was bound tae be better sorted gin he'd time tae think, an he'd aye think better wie a cup of tae, so faat aboot it, Mary, an the kettle was biled again.

Some o the jobs at nott attended till we did wirsels: the plumber came faan the pipe burst, but Mam did the paperin an pentin o the hoose, an yon fine smell hung ower aathing, as if pent was a tonic that cam wie the spring, for me the smell o't was a pairt o Mey. We hadna the electric so there was nae fear o the cooker or the fridge brakkin doon, but the Calor Gas mannie came wie the cylinders. I thocht the gas must hae blawn in his face an awfu lot, he'd a dark an jowly look aboot him, a kin o pooshened look. We nott the garage-man, faan we were fair stucken, but Dad was eesed tae the aul Fordie an he kent some o her funny wyes an he tried his haun on her faan she conkit oot on's so we werena aye rinnin for the billy. The float an the knacker were baith in the close noo an again, faan we hid nowt gyaun tae the Maud mart or faan a beast dee'd. But there were twa men we couldna dee withoot, try as we micht: the doctor an the vet. An faan we socht een o them tae Kiddies it was a last resort; Mam was a nurse in Haddo Hoose faan the war was on an weemin fae Glesca were brocht tae Haddo tae hae their babies awa fae the raids an the bombs, an she was loath tae sen for the doctor till's unless it was rale serious. She kent foo his time was full't wie fowk, an he'd five mile tae drive fae Aul Deer tae Kiddies. So it was aa the waur faan he did come: Dad said that Dickson was the only man he didna like aboot the place.

He was a big, braid-shoodered cheil wie a nippit mainner at was sheer busyness, nae spite. Faan he mairched intae the kitchen he plunkit his bag doon on the table an barkit oot 'Now what seems to be the trouble?' juist like at, nae formalities or havers aboot foo ye were deein an God, sic a dry spell we were haein o't an fit like, neen o that, it was straicht tae the sair bit an nae haudin back. The wye he cairried on, gin a germ was as dottled as bide onywye near, its days were numbered. His aul ledder bag was a great torment: I winted tae see intill't an I was feart o't aa at the same time. I winted tae keek at the boxes an tubes an the shiny metal bits, an I winted naething tae dee wie them. His hauns were scrubbit an pink, an his nails were fite. He smelled o Dettol an caul air an nameless intments. 'Lift up his vest, mother,' he said, gin it was me that was ailin, an he faistened his stethoscope intil his lugs an proddit an harkened an jabbit an grunted an muttered an 'Imphm' noo an again, an he made ye feel ye hid better be nae weel or ye'd wasted his time.

He was in ae day sae early on, maybe for Hilda faan she was months aul, that I was still beddit faan I heard the voice an I couldna wyte but I was doon the sterr an blinkin awa in the kitchen licht, desperate tae ken faat wye he had come. He newsed awa aboot faat was wrang, an afore verra lang there wis something wrang wie me ana, an I was still dozent an wisna thinkin, but I winted a piddle an could I get haud o my wellingtons tae get ootside. They were naewye tae be seen. I was hotchin aboot fae ae fit on tae the ither, but I couldna speir faar the Wellies were, the Doctor was spikkin. So I opened the door o the stair-recess faar we kept a hullock o odds an ends like brushes an cloots an pails an polish an so on. It was a pail I was efter. Sure eneuch, a teem een steed in a neuk o the glory-hole. The soon o the stoor nearly gaured me loup, but I couldna help it. I hid in the dark till the Doctor left; aa black-affronted an shame-faced maybe, but I felt better, an for eence it was neen o his deein.

The vet was Blench, fae New Deer, an he wis a chain-smoker. He wad roar intae the close an afore I got oot tae see faa it was Blench was lichtin a new fag fae the tabby o the aul een, striding intae the byre – he wis anither een for hashin on an nivver badderin wie the clash o the day. He wore fawn breeks an a sports-jaicket an a lichtit Players. His fingers were broon wie the rick o his smokin, but they were quick an firm, intil a calf's mou an yarkin its heid back, an doon its thrapple gaed a bottle o some kin o drog tae sort it. Blench was a man that gaed heid-first forrit: nae maitter foo thrawn, foo ill-nettered the beast wis, Blench was in charge an he'd fix his needle an rug it oot again afore the soo kent faat was happenin. A soo skirlin could gaur yer teeth dirl, but Blench wasna fashed. Yon jeep o his must hae covered hunners o miles, day an nicht, fair widder an fooll; he must hae kent the braes an howes o Buchan like the back o his haun; he must hae been at the calvin an the foalin an the farrowin o thoosans o beasts; gween kens foo mony teem packets o Players it aa added up till – naebody was coontin, least ava him.

CHAPTER

6

> 'The known years spent in a landscape never tie us to it, the marked calendar from which we can stand back and reflect or think of change; we are bound to a place by the unconscious minutes and seconds lost there, which is not measurable time or experience, and from which there is no release.'
>
> JOSEPH HONE: *The Private Sector*

I sat in the wytin-room an winnered faat ailed them, the fowk on the cheers on ilka side o's. There was a hoast, an there was a bandage, an there was a wifie juist sittin an lookin an takkin nae heed. The quine at the desk was a quaet sowl, an peered at her cairds an opened drawers an shut them again. Doctor Dickson was ben in the room faar the couch was, an the screen in the neuk, an the fite sink faar he sweeled his hauns. It was my turn. Dad wis as far awa fae hame as I was, I could easy tell. The Doctor speired an nodded his heid an syne had a look at's. My father sat wie his bonnet on his knee. We gaed awa hame an a day or so efter we kent the haill story. It was scarlet fever, an I was rowed up in a reid blanket an twa men in an ambulance took me aff tae Inverurie. I'd nivver seen sae muckle gless in ae place, sae mony windaes an sae mony weemin at kent my name an caa'd me David, an reeshled faan they meeved, they waur sae trig in their uniforms. I was put in a bed an I tint the threid o the days that passed, except that Mam put a letter till's ilka day, an drew in the margin a picter o something I'd left ahin, the chuckens or calfies or Soda the powser, lauchin fae lug tae lug wie enormous fuskers. Efter a while they loot me get up an they gaed me socks tae weer on the fleer so I slid an slippit. They gaed me platefus o aipples an bananas sliced an thin, nae neen o the puddins I likit at hame like custard wie jam or semolina. Faan my mither an father cam ower tae see's they'd tae staun at a windae an wave an mak faces. An en I was better, an they loot me hame. We drave in the sun by the trees an buses I'd lookit at fae the ither side o a windae an pined for like a lintie in its cage. Fowk spak aboot gettin hame tae their ain bed, but hame for me wisna blankets an waas an yer ain cheer or yer ain bowster, it was the open close an the smell o the parks tee, the clover waftin its sweetness, the feel o caller air, the freedom that sat on yer shooders faan ye ran.

Mam an Dad took a holiday awa in the car, a day or twa tae tootle aboot an cry in on fowk that maybe kent we were stravaigin an maybe they didna, they flung a fyowe mair tatties intae the pot onywye an put a brave face on't. I took ull wie't, sneckit intae the back seat o the car like a calfie in its pen, an girned aboot nae bein able to rin ahin them, if they loot me oot I could easy keep up wie them, juist for a change, but they said 'Na, na, we'll nae be lang or we stop again,' an sure eneuch we wad land on a wifie, the three o's, for a bed for the nicht an it was waur nor the Inverurie hospital, an I wad hae been gled o my ain bed efter anaa. Ae simmer's nicht they took me tae New Deer, tae the circus. The sin was still hich in the sky an the girss was shinin green, an I was loath tae ging intae the tent an its gloamin licht an hunners o fowk, they seemed tae ken faat was faat aa richt for they roared an leuch faan the clowns came on an acted the gype, loupin an tummlin heelster-gowdie in their yalla breeks an reid galluses an patches on their erses, I couldna be deein wie the racket an the commotion but I kept my mou shut an wyted. They brocht on a car that banged an wheezed like the aul Fordie, an I should hae been ready for't, but I wisna, the orra think hottered an rummled an rick spewed oot o the lum o't, an syne it blew up wie a soon like the clappers o doom, an I couldna thole ony mair, my father had tae tak me awa tae the park ootside, tae the green girss an the daylicht an the safe, solid cars sittin siccar an still in their parkin bittie, I was richt pleased tae see them. We dandered aboot an Dad met a man wie a greetin bairn aside him tee, an the twa o them lichted a Woodbine an newsed aboot foo we'd nae stammack for circuses.

Dad took me tae a fitba match in Nethermuir wie a fee'd loon ae nicht, some peer breet that hid come tae help him at Kiddies an hid nivver been awa fae his mither afore. She tell't him faativver else he did he wisna tae get weet feet an aye wrap up warm, ye wad hae thocht the loon was an aul dottled craiter wie nae idea o ferm wark. The maist he'd ivver deen at hame was dell the gairden an it wis a winner he'd been sent tae that in case he got dubs on his beets. My father pat him tae sneddin tansies an thrissles an left him be, an syne faan he lookit neist the loon had the scythe doon on the grun an he was scrapin awa at it wie the carborandum like a file, raspin the steen back an fore on the blade an makkin a rare job o fylin the edge for cuttin onything again. Dad showed him the richt wye: the scythe up in the air upside doon, the pint o the blade sattled on the tae-cap o yer beet, the edge facin ye, syne ye strokit the carborandum up and doon the metal, first ae side syne the tither, so that the steen fussled an sang an ye could juist aboot hear the shairpness gyaun in. The loon watched an howkit awa at a broken finger-nail an syne he said that lookit ower quick an dangerous for him, he was feart he wad catch a finger on the blade an we wad aa be sorry gin he met his mither wantin a finger, so Dad wad hae tae shairpen for him. He wisna strong, the loon, wie his fite face an his rinnin nose, an we didna keep him lang.

Some o the loons were a great miss faan they gaed awa, nae juist for their wark but their fun as weel, like the laad that eesed tae kaim his hair at the kitchen dresser an haud up the fluff fae oot o his kaim an look at it wie amazement an admiration an say 'Pure Riddoch oo!' just tae get Mam lauchin at him. Ae chiel that cam till's was a slow, canny type at wad tchauve fae mornin till nicht an nivver an ull-nettered wird oot o him, my father eesed tae say that he was a gweedless, ull-less craiter, there wis naething in him but faat the speen pat in. But he wad spik o his mither an her birn o bairns, an faat could she dee faan aye the tither een was coming, she was that sair made for room for them aa she hid een o them sleepin in a drawer oot o a wardrobe, that was his bed. They were gweed tae me, the loons, for they made me guns sawn oot o wid an they took me tae Nethermuir on the crossbar o a bike an bocht me chuddy, and they trailed me roon aa the snares they'd set tae see if a rubbit was catched, an they sortit their bykes an showed me the workins o them, chines an dynamos an brakes, an they nivver lost the rag at's, though maybe they were fyles gey near till't. They gaed hame on a Setterday and cam back on Sunday nicht, an Mam wad speir foo the dance had gaen, an foo mony quines they'd been roon the fleer wie, an at wis the end o that, they wad seldom rise tae a topic like quines. Fyles on a Sunday Mam got a parcel o carrots an leeks an a cabbage, maybe, an the loons wad say that was a present, but they nivver said faa fae, an we didna speir, that was hae spiled it. The fee'd loons were great eens for Brylcreem an drinkin lager at the Baron's in the Gatt, an they hid real bicycle clips an some o them had springy airm-bands, shiny an braw, for haudin their sark-sleeves oot o the road, an some even hid tie-pins. Efter they left, maybe a gweed fyle efter, een or twa wad come in o an evenin tae newse aboot foo they were deein, an faa they waur wie noo, an faan they were gettin merried, an at suited Dad fine, he said he was aye gled tae hear o fowk gettin on.

Jimmy an Billy Smith worked for their father, Alec, on Mid Greenbrae, ower the tap o the hill fae his an doon again ontae the laich grun faar the wids o Nethermuir ran by the line fae Auchnagatt tae Maud. They were big, weel-biggit chiels an Alec kept them at it, till Billy gaed awa tae drive a larry somewye an at left Jimmy an Alec their leen, still workin wie horses an cairts an yokin an lowsin like days geen by, goner e days, as Dad said. Jimmy was fee'd in a wye, but he spak aboot 'me an fadder' so's ye wad ken faa was grieve an faa was on for second, in case ye get haud o the wrang en o the story. Alec was quaet an canny, like Andra Watt, but Mrs. Smith was a lauchin, eident wifie, aye weerin the same aapron wie the same flooers on't year in, year oot. We gaed ower ae nicht tae see them at Greenbrae, doon their aul road wie its croon o girss on the middle raised bit an the twa tracks ilka side, mony's a van-driver tried a bit o speed doon tae Alec Smith, but he seen felt the exle dirdin on the hich bits an changed his tune. Jimmy was oot, maybe doon at the Baron's an drinkin lager, I didna ken, but Doddy was ere, he was their third an hinmaist loon an he was ages wie me. Mrs. Smith made some tae an piled up the biscuits an the gingerbreid, perkins an hardies an snaps an so on, an she tell't Doddy an me tae stick in tull we stuck oot, though there was nae need, she said, tae tell Doddy tae stick in an he shook his heid an said, no, he juist ett like a beast faan he got the chance, an the big fowk thocht that was a rare een, an they leuch at him an made me fair jealous that I hidna said onything half as clivver.

The place neist till Alec Smith's was Sooth Greenbrae, Jimmy Fite's ferm. The railway-line cut throwe the laich parks aneth the steadins o Sooth Greenbrae, an a double gate steed ilka side o the line aboot a third o the wye up Jimmy Fite's roadie. Jimmy had nae horses for workin grun wie, but his dother Nancy kept a shaltie, she was aye oot in the park wie't loupin an practisin an fowk said some day she wad be in amon the prizes at New Deer Show if she cairried on like thon, caain the beast richt up tae the boords she'd laid on the tap o a pair o tins, the five-gallon eens that tapered up tae the cap an tummled ower fine an quick faan they waur teem faan the shaltie didna get ower them. She was weel thocht o, Nancy, for the game wye she tchauved awa wie her father aboot the place, oot in aa widders an ready for onything in her rippit maazie an her dungers, fowk said she was as muckle eese tae Jimmy as a man-body, the quine. Her sisters were Iris an Maggie, an syne there was a loonie, Lawrence, wie fair skin an a heid tousled wie curls. Iris was lanky an hid pigtails, an Maggie was stooter, wie reid cheeks an a roon face that aye had a braid smile on't, as though she kent something but she wadna tell.

Dod Cadger was in West Kidshill, atween Jimmy Fite an Dod Dawson. They hid twa o a femly, the Cadgers – a quine caa'd Beatrice an a loon, Ian, aboot the same age as Lawrence Fite. The Cadgers kept themsels tae themsels an werena seen muckle oot aboot; Dod was a man ye nivver missed, though, gin ye were passin West Kidshill, for he was aye oot deein something an even gin ye couldna see him ye wad see the blue rick o the Bogie Roll somewye or ither an Dod wad be doon aneth't. I thocht the wheeze in his thrapple maun be aa the tabacca he got throwe, but it was mair o a crochle he'd aye haen, aye the same, simmer an winter.

Below Cadger's grun an north o Alec Smith there was Thain, in his peer, negleckit craft that he could mak naething o, try as he micht. He was a peer, hungert shilpit craiter an his parks waur the same. Faan aabody roon aboot was plantin, Thain was still on the harras; faan his neepors were hairstin Thain was staunin wie his hauns in his pooches glowrin at green corn, an dichtin his nose on his jaicket an girnin foo sweir it was tae turn. His wife an his bairns were as thin an sair-made as Thain was, though fowk said maybe the mistress wisna the fushionless smyster that her man was, an the grey meer was the better horse. Onywye, fowk were sorry for the chiel, though they widna hae latten on. My father said his tribble was, he nivver got oot o the bit, nivver got on tap o things. He wad come ower fyles tae Kiddies, Thain, an sit bi the fire wie's for a newse, an fyles as he sat he wad lift his een fae the fleer an smile till himself, an say tae my father that there was still ae consolation, things couldna get waur . . . an Dad wad nod his heid an say 'Dyod, man, it's a hellish business this fermin, juist washin ae haun wie the tither.'

Wir ither neepor was Jimmy Riddoch in Cairncummer, the verra opposite o Thain. He'd a gweed-gyaun place an a thrifty wye wie siller: he could affoord nowt an sheep an implements an machinery. He'd a mainner like Dr. Dickson, tae, abrupt an brisk an business-like, an he was een of the fyowe men that caa'd my father James. Cyarnie, as we caa'd him, hid a puckle jooks doon in the mossy bit aside the line an the railway-brig oor road had tae cross eence ye were aff the main New Deer road. The jooks hid a hoosie made o corrugated iron, an ony nicht we were hame late the cry gaed up as we drave ower the brig 'Faur's Cyarnie's jooks?' an gin they were naewye tae be seen, Mam said that was a sure sign bedtime was weel by an it wis high time I was like them, awa amon the oo.

CHAPTER 7

'. . . childhood, rather than preparing one for life, is one's life in its essence . . . and years of maturity (are) spent in blowing on its embers until finally there (is) only ash.'

PIERS PAUL READ: *The Upstart*

A young chiel an his wife cam intae Cyarnies for a fyle, but they didna laist lang. Some said he wis tryin fairmin bi the beuk an faar did that ivver get ye? An some said it wis aa richt tryin new methods as lang as ye could affoord em, it wis chepper fyles nae tae ken foo a job should be deen. Dad gaed ower till him ae nicht in the back-en on some eerin or anither an took me wie him. The dark cam doon an we waur still nae near feenished, an it wis a nippy nicht tae be staunin aboot in so the young chiel said I wad be better aff inside at the fire. So in I gaed, an his wife wis a neat an bonny woman, she hid lipstick on an her still in her ain hoose. She sat me doon an speired faat age I wis an faat my name wis an foo many brithers an sisters did I hae tull I wis sair made keepin hard tee wie the richt answers. There wis a bowl foo o aipples on tap o her sideboord, an I couldna keep my een aff o them. The clivver woman speired neist gin I likit fruit an I said no, but I could fair go an aipple. She peeled the skin aff in a lang furl o reid ribbon, fite on the inside. I sat on the settee an ate it faar it wis brocht tull's, like a powser on a rug gettin mice tae surrender an inch fae its fuskers.

Aunties waur speirers, faan they waur in an sattled an their cwytes aff. 'Foo's David?' they wad say, an me nae three feet awa fae them. I wyted for Mam tae say that he was aa richt or fine, but there wis naething fae her, it wis me they waur spikkin till. An syne it wis 'An faat hiv ye been deein wie yersel?' as though ye'd tell em aboot throwin steens at the hens or gyaun up the laft stair or pullin the cat's tail, in front o yer mither. So ye said 'Nae muckle ava'' an aabody kent faat a lee yon wis but they did that tae ye, veesitors, they fair boxed ye in. If an auntie spied a scrat on yer broo or a skurl on yer knee she wis half-wyes tull a story tae be gotten at, so she purred and cooed an winnered oot lood foo a loon got a naisty mark like at een, an ye felt a jessie syne because aa it wis wis a branch o a tree ye'd faan a fit or twa fae a fylie seen. A man, noo, wad look at a scrape an mak a joke o't an say 'Aye, min, ye've been fechtin wie the bull again hiv ye?' or 'Dyod, 's yer faither coorse tae ye aa the time?' an ye felt the sair bit raised tae the deegnity o a coorse catastrophe.

Some o the aunties were easy tae spik till, weemin that wanted bairns o their ain so faan they cam tae see his at Kiddies they waur fine pleased tae tak notice o's an hae tae dee wie's for an oor or twa. Daffy fae the toon wis Dad's twin sister, an she bade her leen, she wis a widda an hidna a femly. We saa her but seldom, but she wis oot fyles faan she got a chance o a hurl in a car fae somebody. Dad's auler sister Patty we didna see atta inside the door at Kiddies, she wis ower at Kennethmont wie her man George Stables on a fairm aboot a mile oot o Clatt, Bankheid o Kennethmont. Granny Ogston bade wie them a lot o the time, an fyles she wis at Kate's in Auchreddie Road at New Deer. She wis a wee wee body, Granny Ogston, wie lively een an her grey hair tied flat on her heid tae be oot o her road. Mam's sister wis Jeanie, an she bade in a granite hoose in Aiberdeen. Her man wis George ana, George Florence, a fairmer in his retirement an a great gairdener, they caa'd him the dahlia king an faan ye saa the back gairden o the hoose in Hilton Avenue ye could see faat wye, the place wis a splurge o colour an blooms an nae a weed tae be seen naewye. Auntie Jean hid a cwyte that tied on the inside afore she'd even got as far as the buttons. We hid Nan an Andra aften tae veesit, fae Methlick, faar Andra wis een o the drivers on the Alexanders Buses. Peter an Mary cam oot fae the toon faan Peter wis aff duty, an Wullie an Maggie wad cry in noo an again faan Wullie got awa fae his sergeant's desk. He wis as hich as Maggie wis smaa, an he wis a man I wis nearly feart o, being sic a size, but Maggie wis a great newser an she wis nivver deen tellin me the latest ferlies in the shops in Aiberdeen an faat the bairns in her street played wie an faat they were singin faan they stottit their baa or skippit on the pavement. Some o the veesitors took a pyock o sweeties till's; some took a parcel o haddock. Noo an again faan an auntie wis leavin she powkit aboot in her purse at the backdoor an gaed me a hauf-croon 'for the bankie'. That wis a real prize, a hauf-croon, as big as a wheel an juist as heavy. I held it in my left haun an waved wie my richt as the aunties hottered awa in the caul cars wie rugs on their knees an their mittens back on.

Weemin in shops, tae, waur aye makkin on they'd nivver seen ye afore. 'Faa's this ye hiv wie ye the day, Jimmy' they wad say tae my father in the front bit at Taylor's, faar Annie wis een o the shop quines an aye hid a meenit for a blether an a lauch at something. They sell't aathing, Taylors, faa aspirins tae marzipan, crisps tae creosote; toys, jam, claes, papers, saut, wire, custard, staples, suspenders, syrup, poodered milk, rulers, baas, tabacca, knives, aipples, galluses, shortbreid, pails, bandages, rice, pliers, bacon, nappies – onything ye cared tae name. Ower in Wullie Mey's across the road aside the Post Office it wis the same – 'I see ye've somebody wie ye the day' or ower the brig on the tither side o the line, in Mina Booth's, I micht hae been a shadda there for aa the odds it made. Mina sell't beets an sheen an wellingtons an sweeties, an Sunday papers. Her shoppie wis wee, like a hole in the waa: gin a couple o fowk waur in at eence they waurna lang or they got acquant . . . Mina wad smile wie the weary, sad an sorry look o somebody that's seen ower mony bonny mornins turn till even an naething tae show for't, an the gean witherin on the tree an the sweet wine o life turnin fushionless an foosty, an so on. It wis a wersh smile, Mina's, but it was reliable: fowk grew tae depend on't, like her Dolly Mixters, it wis een o her lines, like: a trademark.

The woman that we got the Friday papers fae wis the opposite: a cheery sowl, for aa the size o her. Faan she cam ben till her coonter ye could hardly see her. Her shop wis a fyowe yairds doon the street fae the garage in New Deer we got the Fordie sortit at, an the wireless batteries chairged. The shop was as wee as Mina's een, fair stappit wie papers an comics an magazines, an sweeties in a mixter-maxter at ae side o the papers. The woman's glesses glinted an shone faan she jinkit back an forrit tae the far neuks o her display tae rax for fat ye winted: the *Weekly News* and the *Reveille* an *The People's Journal*. Efter we'd been tae her it was a shortsome dander tae the baker an the butcher an syne we waur ready for the neist fyowe days afore a van came fae Taylor's Emporium or Simmer's o Hatton or Presley the butcher aa the wye fae Methlick. Friday nicht was the nicht o new baps, saft an floory, an a fresh battery for the Scottish Country Dance music on a Setterday, or the Scottish Half-Hour on Radio Luxembourg, 208, an yon mannie Pete Murray.

On Setterday mornins we got 'Family Favourites' an the Laughing Policeman, the bobby they socht for tae cheer up quines in hospital or loons wie broken legs that couldna play fitba an had tae bide inside. There wis a chiel wie yokie feet they caa'd 'The Happy Wanderer', yodellin fae the taps o hills he'd wandered up. 'Sparkie' wis an electric train, a train that gargled wie a chokit soon, like somebody at the bottom o a teem ile-drum. Doris Day sang 'Take me back to the black hills, the black hills of Dakota'. Burl Ives rummled on aboot the Big Rock Candy Mountain an the aul mannie that swalla'd a flee. We hid a picnic wie the Teddy Bears doon in the wids; the ugly duckling changed intil a swan, an the doggie in the windae hid a waggley tail. The wirds an the tunes waur easy tae mine an even a chiel like me could fussle em efter a fashion. 'Cowboys and Indians' wis a bittie faist for's, but I could fair get wired intil the een aboot the runaway train coming doon the line an it 'blew-blew-blew' wie the 'blew' gyaun on for aboot sax or sivven beats.

Dad wis aye singin 'Put another nickel in, in the nickelodeon. All I want is lovin you an music, music, music!' Mam's een wis 'Mairzy dotes an dozy dotes an little lams etivy. A kiddlie tivy too, wouldn't you?' an I could mak neither heid nor tail o't tull she tell't me it wis 'Mares eat oats and does eat oats and little lambs' (I got that bit masel) 'eat ivy. A kid will eat ivy too, wouldn't you?' The speed o the tune made the wirds soon like something else fae faat they waur. Fowk spak aboot 'O Mein Papa' for a fyle, it wis aye on the wireless. An en there wis 'Daddy wouldn't buy me a bow-wow, bow-wow. I've got a little cat and I'm very fond of that, but I'd rather have a bow-wow-wow'. Somebody sang 'All I want for Christmas is my two front teeth'. An the baby's dimple, at got a gweed lot o attention – 'On the baby's knuckle, on the baby's knee, where will the baby's dimple be?' an en there wis a stroud aboot foo it mith be hidden oot o sicht aathegither, an at made fowk lauch, faan they waur in company, like.

We gaed ower eence, the fower o's, tae hear Robert Wilson in a hall in Turra; he'd faa'n fae the hicht he'd eence been at afore the fusky got a haud o him but he wis still trampin the boords an tourin roon, makkin on it wis braid day for him yet, nae gloamin an mirk. He strade on in his kilt an jaicket; a piano thrummed the bars o his openin an the man wis awa – nae free an easy maybe, but still fleet eneuch tae loup fae note tae note an laan on his feet. Dad got a bit roosed faan the fowk roon aboot's wadna quaeten doon, an he shushed an hissed an made a raill din tryin tae get them paissified. But they waurna sae keen, some o them, as Dad wis, on the man on the stage, an the scufflin didna dwindle aathegither. Maybe Robert Wilson wad hae steekit their blethers bi sheer volume had he still been up till't but it wisna in him.

Maist o the concerts we gaed till waur in Auchnagatt, in the hall doon fae the Baron's Hotel an Mina's shoppie. She wad open late tae get fowk comin in for grulshiks tae their bairns, an maybe the rush on coo candy an caramels wad sweeten Mina an gaur the smile lift a bittie at the corners o her mou. Onywye, the hall was bricht an thrang wi fowk a gweed fyle afore the concert got yokit; we little eens waur putten forrit tae the raas o forms aneth the verra lip o the stage, so's we widna miss onything. The big fowk sat on the benches ahin's. Aabody newsed an leuch an cairried on like they'd been oot o the country for a lang time an they hid years of claikin tae catch up on. They lookit for a seat an lowsened their gravats an pooched their hummlies an raxed oot the brandy baas or the granny's sookers an passed them roon an drappit them an steed on them, an a that afore they'd gotten richt yokit intae faat wis deein an faa wis deein't. The curtains up abeen us little eens wad jerk an shiver noo an again, or a pair o sheen wad peep oot aneth't , or a chiel on the stage wad bark his queets or coup a steel an sweir till himsel, an we aa kent that it widna be lang or the lichts gaed oot an the fun wad start. Neen o's hid watches doon at the front but we felt it wis time. The Chairman wis the sign we waur wytin for: up he gaed tae the nerra stair fae the fleer tae the side o the platform, loupit ontae the second step an waved his programm at's tull the soon in the body o the hall faded fae a roar tull a rummle. 'Good evenin, ladies and gentlemen, boys and girls,' he began, 'We're all here' . . . an some fowk at the back cried 'Wheesht!' in an ull-nettered wye tae naebody in particular. The Chairman said we waur aa gyaun tae hae a gran nicht, it wis a gweed cause we waur here for, an it wid be siller weel spent, so wad we welcome, please, the veesitin Concert Party wi a richt gweed wull, an we clappit wir hauns an stampit wir feet an the curtains pairted aboot three inches in the middle an stoppit an wis titted back again. In twa ticks, though it wis wheeched wide open an we waur intae the first item on a gust o music an a duntin o feet fae the fowk that couldna sit an listen but they hid tae mark time wi their taes as weel. The little eens sat wi their mous open, watchin for fear that we missed onything. A sketch wis put on wi the bare minimum o props – a table an cheers an a vase for ornament, but we kent fine it wis meant tae be the front room o somebody's hoose. Fyles, faan a lad got his lines wrang or he said something new tae the script an the lave o them tint him an aabody stoppit an lookit an frooned we leuch mair at at than at faat wis meant tae happen. A quine wad come on dressed up like a dall in yairds o tartan an plaids an brooches an reid lipstick that made her teeth shine an sparkle gran style, an she wad sing aboot the purple heather an doon in the glen faar Granny's hielan hame wis an faar she wis gyaun back till, efter the concert I thocht. Syne on cam a chiel tae dee recitations an lang poems aboot aa the trock ye could buy in his shop or foo he'd a tractor that widna stop eence it was started an so on. The last item wad be the haill company back on the stage for the gran finale, an faan it wis aa deen we clappit and clappit tull wir hauns dirled. The Chairman wad staun up again and say foo he'd thocht it wad be a rare nicht an he hidna been disappointed, an there wisna een o's could say but faat it wis the best concert we'd ivver been at, an we clappit again tull we thocht wir hauns wad drap aff the en o wir airms. Syne aabody wis up on their feet at eence an lookin for cwytes an toories, an wishing it wis half-echt again an it could aa start for a second time.

CHAPTER

8

'As for the looking-glass, Grey Rabbit found the glass, dropped from a lady's handbag, and Mole made a frame for it. Usually the animals gazed at themselves in the still pools as so many country children have done.'
ALISON UTTLEY: *The Grey Rabbit Tales*

Doddy an Tam an me, come the August o 1950, were ready for Clochcan. Doddy Smith, the farrest awa o's, got a hurl wie Jimmy Fite, but the Dawsons an me traivelled the back road fae Kiddies an Aul Joe's, doon tae the burn an up again tae Geordie Fyvie's, ben tae the Hasties an en on tae the Crichie Road for a quarter mile maybe. Bi the time we were on the tarred road a fyowe mair wad be traikin wies, bairns fae the cotter hooses at Annochie likely; but maist o the time it wis the three o's, Sheila an Tam an me. I gaed in for them ilka mornin in North Kidshill, an they were nivver ready for's, or else I wis aye early. I sat an wyted, lookin an listenin, my skweelbag ticht at my shooders an my dowp far forrit on the widden cheer. I spak faan I wis spoken till an nae neen seener.

Dod wad be in at the tap en o the table, in the neuk atween the windae an the fire-place. He poored his milk straicht on till his parritch, ontae the same plate, like a milk puddin, faat a slaiger yon wis sweemin aboot. *We* put a bowl doon tae sit aside the parritch plate an caa'd the speen fae een tae the ither so's the milk was caul tae the boddom o the meal an the parritch kept its firmness an wisna dribbled tae bitties. But the Dawsons aa ett it the same wye, an sugared it ana, a thing we nivver did because oor parritch lay for a meenit faan it was ladled oot an syne a haunfu o dry meal wis cassen on tap o't tae gie't a fine murly taste. Efter the parritch Dod slaistered a butter biscuit wie a slauch o seerup an drank his tae an newsed tae me aboot faat I wis gweed at at the skweel, noo, wis't sums or readin, an I nivver kent faat a richt thing tae say wis so I made oot that I was nae eese at either. Bet steed bi the fire wie a Woodbine in ae haun an a cup o tae in the tither, lookin oot at her green fyles faar her dryin-line wis, or gleyin a keek at the dresser clock tae see foo far ahin we waur. Some days the mannie on the wireless ran oot o news aathegither an we were still nae roadit.

On an April mornin we waur sair made tae mak gweed time atween Kiddies an the playgreen. There wis ower muckle tae look at an watch for, things we'd nivver seen afore or nae sin last year, it was aa een. Wie the first souch of spring by an the saft days back again, the parks waur steerin compared tae the teem an quaet look faistened on em bi the snell widder an steeny frost – secks o fertiliser an new seed steed up an doon the length o a harra'd park, wytin for the broadcaster; sheep stottit back an fore wie lambs at their tails; craws an gulls rippit the dumb cloods intae shreds an tatters an dennered at the ploo-tail; buds an blossom fell on trees an busses like a late snaa syne melted tae the grun an lay till a breeze drifted petal an spent flooer alike awa. The spring pit oot o wir heids the skweel's faist haud o's, an we wad fain hae jined in the day-lang splore o wark wie wir faithers, in the open air.

There wis an aul joke at concerts – 'D'ye like gyaun tae the skweel?' an the answer wis, 'Oh aye, I like fine gyaun tae the skweel an I like coming hame again, its the bittie in atween I dinna like.' Up hill an doon it wis a gweed mile an a half fae the back door at Kiddies tae the green door o the tap porch at Clochies faar Mrs. Wilson tonged us in. The langer wye wis twa mile, if ye kept straicht on at Geordie Fyvie's instead o cuttin throwe tae Broonie's road, ben tae the Maud turnpike at Lambies faar Jimmy Bremner wis, syne up by the parks o Langie Hay tae faar Clochies an his grun met the Crichie road. The Maud wye wisna for mornins faan the Dawsons' parritch had been ower het tae gollop. Fyles we gaed hame at wye, for a change, like, loupin ontae the bank faan a larry passed by or a float fae the mart. There wis a third road, but nae for walkin; Jimmy Fite's car took his ain kids an Doddy an Ian Cadger an maybe some fae the Gatt tae, up by Annochy an ben faar the muir lay that Clochies got its name fae, the place o the fite steen. It was a level, rank an rashie place yon, an ayont it the places faar the Dickies an the Gills came fae. Wattie Gill wis een o the big loons faan I gaed tae Clochcan.

Faan the dark nichts came I wis hurled tae the skweel wie the Fites fae Sooth Greenbrae. They hid twa ither quines apart fae Nancy (her wie the shaltie an the five-gallon drums), Iris an Maggie, an a loon caa'd Laurence. I was een o the femmly for a fyowe meenits ilke morning, faan I wyted for them aa tae get tirred an toggit. Iris an Maggie ett their breakfast, pleated their hair an fulled their skweelbags aa at the same time, their mither dancin atween the pair o them wie a store o kirbies grippit in her moo like a jiner haudin nails, a brush in ae haun an a knife in the tither an a lauch on her face as though the haill stramash wis a great cairry-on an she wis fair in her element. She wis tyin Laurence intil his cywte for him, spreadin pieces, shakkin a clean hankie aff o the tow, an tuggin at ony heid that stoppit lang eneuch tae be kaimed or kittled intae some kin o order. Aabody roared an girned an speired an peched at the same time:

'Faat's the time?'

'You've my spellin-beuk!'

'It's twenty-five past echt!'

'Mam, faar's my toorie?'

'Feenish yer parritch!'

'Ye're scrattin my lugs, Mam!'

'Gie's the jam ower.'

'Maggie, did ye wash yer lugs?'

'Yon's nae *my* bonnet.'

'Haud still, will ye?'

'Faat's the time?'

'Oh me, I hinna deen my readin.'

'Come on, ye vratches!'

An en we waur aa in the back o the car an birlin doon tae the line gate, an Jimmy Fite wis sittin peerin oot o the windae like a man struck dumb, an faa wid hae tried tae conter yon collieshangie, ye'd hae been a brave chiel tae manage it.

'Good morning, boys and girls.'

Mrs. Wilson an Miss Burnett waur the wireless lady, aften imagined but nivver seen, fae my fireside efterneens. They spak tae the sum o's, tae the haill closeevie, nae tae the random an parteecular, the individual. We waur lined up in the morning shooder tae shooder tae sing fae a beuk. Naething we kent oorsels, deep doon an vrocht for, bocht oot o wir ain smaa wealth o days an places, seemed ony eese till's here. An faat caa'd the feet fae's maist ava wis the 'Good' an the 'Morning' – pass-wirds we waur leerie o, yon wisna the currency that ony o's wad cairry. We dealt in the quick, spare welcomes that waur hardly a welcome, like 'Aye, aye' or 'Aye min' or 'Faat like'.

Mrs. Wilson speired if ony o's kent faat wis different aboot the skweel efter the holidays. A quine put her haun up. 'Yes, Grace?' said Mrs. Wilson. 'Please, miss, the walls, miss,' the quine said. 'And what about the walls?' the heidmistress persisted, castin roon for a fresh volunteer tae come forrit an brak breath. Naebody did – it was Grace an Grace aleen. Up gaed her haun again. 'Please, miss, they've been painted.' The neist thing tae be sortit oot wis the colour they'd been covered wie an Grace tried 'White, miss,' but it wis cream. I nivver kent cream wis a colour afore at, but I kent we hid some, in the milk-hoose at the back-door. It hid a steen fleer an a fyowe shelves an ae peephole o a windae, a caul place for things tae be kept fae spilin in the hicht o simmer. It wis faar the milk was poored, in Granny Ogston's young day, tae sattle in big bowls an tae lat the cream for the parritch rise tae the tap, ready tae be skimmed aff. We kept ale in the milk-hoose: the lang bottles wie their knobbly stoppers an their lowss washers waur juist hich eneuch for me nae tae get at em withoot a cheer tae staun on. There wis a juicy squeak faan ye screwed aff the stopper. I likit the green ale best, the wye it raced oot o the bottle an dirled on tae yer thrapple wie a tingle o gas an a dance o bubbles. We nivver drank fae a tumbler faan we drank ale, weel, I didna onywye, seein foo it was aa stolen pleasure an I'd nivver time for glesses.

Miss Burnett wis the little eens' teacher, the classes fae One tae Four. She wis trim, jinniperous, flamboyant bi hersel an faan she spak till's an faan she drave tae Clochies in her lang black car sittin plum in the middle o the front seat wie her heid hardly powkin up abeen the dashbord an the bonnet. Aside Mrs. Wilson she wis timorous an shy, backward aboot comin forrit, as she wis meant tae be: but faan the twa o them waur thegither it wis Mrs. Wilson we heard but it wis Rosie Burnett we waur lookin at. She hid a reid pencil for markin, great rollin Cs that blottit oot oor addin an subtracting; she said 'Fiddlesticks' faan we said a daft thing or we got the wrang en o an idea. She'd een in the back o her heid, Rosie, tae spy on's faan she pickit up her chalk tae scrieve on the boord for a class tae copy something. I wis nivver deen winnerin foo the auler eens kent faat tae dee faan she tell't em 'take dictation'. They wrote wie their heids doon, stoppit an startit, turned pages an wyted: I wis fair dumfoonert at them. She shairpened pencils in a drum on her desk, an yon wis a braw smell, faan the fresh wid appeared roon the new pint. Faan her duster wis chokit a quine wis tell't tae dyst it on the waa ootside, doon at the corner faar the wash-hoose steps waur.

Mrs. Wilson wis throwe the gless partition fae's, the solid travis dividin the skweel up intae them an his, nae that the partition wis aa that thick, ye could still hear a row brakkin oot neist door faan the big eens got her dander up an gaured her loss her rag at em. She hid a tongue that could clip cloots, Mrs. Wilson. Noo an again the gless waa wis rowed back an the haill skweel putten throwe a cairry-on o games like duster-hockey, wie twa cheers at ilka end for goals an aabody skirlin for their ain side tae win. We had a do ae Christmas faar the little eens hid tae sing or else recite, an I did a couple of lines o a poem an en I noticed aa the faces watchin me an at connached the poetry. We hid a minister at Easter-time, Mr. Junor fae the kirk at Savoch, an he spak till's aboot Jesus gyaun intae Jerusalem on the back o a donkey, nae the bonniest o breets nor yet the wisest, but he said that aa the animals were a bit like at, they waur dumb animals an at wis faat wye we'd aa tae look efter em an nae be coorse tae them, we were better aff nor they were an we hid nae excuses for ull-treatin them, we should ken better.

We felt in wir beens – we little eens – withoot bein tell't, that the playgreen wis like a stable at yokin time an there wis some on for first an some for second an some for third, an gweed help ye if ye didna ken the difference. If we waur brocht intae the big eens' ongyauns we wyted an watched tae be sure we could dee't richt. The big quines took peety on's an coonted us in for hanky-ring; roon an roon they loupit an raced, an drappit the hanky an we'd nae hope o catchin them but the feelin we waur equal-aqual wis the great thing. The big loons started a slide in the winter an faan it wis ready – 'like a bottle' – the lave o's got ontill't an the chine couldna be broken, we'd tae keep the pottie bilin. We tummelt an rase again, feart tae be oot o't, half-feart tae be in. Ilka day wis the same: either wie wir ain crowd or wie the bigger eens we faced the needcessity tae staun or faa, tae jine in or tae be ootlin, tae dree wir weird an lauch aboot it or tae greet an sulk ower't. But there wis nae help for a spiled shit or a sharger that widna try some: the defences o hame wadna rax tae aa the lanely turns an twists o a day's meshanters.

I fand this masel ae day, at denner-time in Rosie's room, faar the skweel gaed for their denner. The desks were happit wie plastic covered wie flooers, an the big quines took wir plates till's fae the lang table they set up tae haud the canisters an drums o mett that cam fae Aul Deer. I began tae fidge an hotch in ma seat, because I nott the lavie an I wis ower feart tae say so an speir gin I could ging. I could picter tae masel the steadins o Kiddies an the teem spaces I kent an the neuks I could hide in, an there I wis like a hare in a snare an I couldna meeve or dee the richt thing tae get oot o my misery. I began tae greet, a despairin myaat. An en somebody powkit my shooder an said till's did I wint oot? An I said 'Aye'.

Mrs. Hastie cam in tae gies wir denners an tae wash the dishes. Atween her an the teachers we saa naebody else fae mornin tae nicht, except Deaconess Anna fae Aul Deer, an she wis nivver deen comin tae see's aa an signin the Register tee, tae prove she'd been. Her name wis Mrs. Ritchie an she wis on the Education Committee an she gaed tae the skweels in her area eence a month come hail or shine. She wis aul (tae his) an a lauchin, couthy woman; she sat on the platform at a Prize-givin Day an made a speech till's an smiled a lot an cairried saxpences on her for ony fathers that waur brave eneuch tae come tae the prize-day an sit wie the weemin, wis there onybody here, she'd say, come on, pit yer haun up, an she meant it tae, if a man wis there he got a tanner. She came on the bus wie's fae Clochcan ae Christmas, tae the Savoch Kirk for a Carol Service ae efterneen. The big loons made for the back o the bus for a cairry-on tae themsels so Mrs Ritchie said 'Now lads, not too much noise, we don't want to frighten the engine' an at gaured em lauch at her but it stoppit the fash o them, she'd aa the prattiks. It wis a snell day an darkenin faan we got tae the kirk an we sat on the hard pews an sang aboot Royal David's city an the lowin cattle an the baby waukenin but nivver greetin. Ootside, in the frost, the howes fulled up wie the haar o the caul nicht comin but we waur far awa, in some ither December place, faar fortaivert herds chittered wie dreid faan the glory shone, an syne they grippit their staves an made for Bethlehem an the bairn in a spare troch. In the bleak mid-winter he wis born, an far fae hame, an beddit faur the kye waur. We sang aboot the 'snow had fallen, snow on snow' an we could see't for wirsels as clear as day, snaa driftin an faain an happin the roch edges an the shairp lines, makkin a saft blur o posts an palins an the bare trees o wids lang leafless.

CHAPTER

9

> 'Nothing would grieve the author more than that, in thus attempting to re-create the spirit of a society which has now disappeared, he should do disservice to any of those whom . . . he loves this side idolatry – his ancestors.'
>
> JOHN R. ALLAN: *Farmer's Boy*

Andy Duncan cam tae the Baron's Hotel in Auchnagatt tae cut hair in een o the rooms doon the sterr, in tae the left fae the lobby, a room wie hard cheers an a picter or twa o a Hielan coo wie wide horns an a shaggy heid – nae the richt advert for a barber, but Andy wis aye thrang wie custom for aa that. His hauns flichtered at yer heid like moths roun a licht, like twa bum bees fechtin tae get at a flooer. He had saft hauns, Andy, fite hauns nae birsled bi the sin – ye could tell that he didna dell an hyowe an rax himsel like ither men. He wore a grey cwyte faan he wis clippin, wie a pooch at his breist faar his shears waur stuck like a grocer's biros. I sat on ma cheer an watched him as he meeved an shuffled, watched him faan he kaimed an trimmed again, watched him an listened. The claik o three pairishes threided throwe the snip o his shears an the glide o his sheen faan a man in the cheer, wie the cloot roon his neck, micht start on a story or speir efter somebody, nae juist tae Andy but aabody there, as gin this wis a forum faar ony o's could be heard an the barber wis the master o ceremonies.

'Seen Alec Duguid lately?' said the man gettin his crop, glowerin at himsel in the mirror as though he newsed tull himsel.

'Him at's at Knaven, like?'

'Aye'

'Oh, he's back tae the doctor, yon boy, wik ago. It's juist the same, so they say, he's nae farrer on.'

'I heard that,' said a man wytin his turn, his bonnet on his knee. 'The leg's nae mair eese tull him.'

'I saw him at the mart,' the man in the cheer tilted his heid sidewyes tae lat Andy see faat he wis deein. 'He wis hirplin aboot wie yon stave, Christ, I hardly kent him, ken, kent an awfu difference in him.'

'Aye, he's nae half the man he wis, the puir bugger. There's naething they can dee for him.'

'It's a helluva job, min.'

An they gaed on tull a new story, a roup or a trust deed or a fitba match at New Deer or faativer wis brocht forrit an offered. Faan it wis my turn tae be deen Andy kept newsin tae the men that waur left, an I sat there kennin that aabody's een wad be usin the back o ma neck tae skite their blether aff o, that wis the wye o't, as seen's ye waur up there you wis the centre, nae maitter gin ye waur spikkin or dumb. But the listenin wis rare, noticin faat they wad lauch at, foo far they wad gang tae suggest they kent faat they didna, foo they'd wheedle a tit-bit oot o remarks that fyles waur meant tae say mair than they loot on. Ye learnt tae divine faat lay in aneth the wirds o a man that said there wis aye some watter faar the stirkie drooned, an syne lit his pipe an said nae mair, or chokit oot an Imph fae the side o his mou as though he'd swalla'd some o the dottle. There wis a lot I missed, tee, for big fowk hid their codes an cantrips: but yon wis a fine feelin, tae sit on the edge o a colloquy an drift wie the rise an faa o voices, catch the shift o direction faan it came, jine in the fun o a tale weel worth repeatin an fyles embroiderin. Fyles on a simmer's nicht faan I wis in the box-room readin beuks oot o a kist on the landin, stories aboot foresters in Canada an the een aboot the collie that loo'ed its maister an pined tae death faan he wis killed, I wad hear voices in the close an I read on as the gloamin deepened, the square o the skylicht cloudin wie the onset o the nicht, an syne it grew ower dark tae see but the voices still rose up tae me, grace-notes slippit intae the dozent dwaum o approachin sleep. In the fell dark o winter, faan I couldna get oot o ma heid the day's tumult o things deen an things said an they chased my dreams awa, I could still hear my faither and mither newsin in the room at the tap o the sterr, the paraffin licht on a cheer ootside ma door tae fleg the bogles, the haill hoose fower-square roon aboot me. The voices waur a waa tae keep the lostness o the quaet, teemin nicht awa, an I lay in the lythe o them.

The spoken wird, mesmeric in its ain richt, took on a wecht o its ain in the mou o the public man that spak for a livin, faa's trade it wis tae pronounce an decide for ither folk: the auctioneer at the Maud mart in his platform up abeen the ring, dominatin faat wis goin on wie naething bit his ain tongue an the timmer haimmer in his neive. Beasts thronged intae the circle o men's faces, carnaptious fyles at bein poukit an proddit an driven ben fae the pens; men newsed an swore an spat an smoked as gin they waurna there for naething ither; an the auctioneer cut throwe the bruilzie announcin, describin, caaing fowk tae order – pairt circus-maister, pairt dominie, pairt comedian.

'Now, gentlemen, these fine stirks from Hillhead, what am I bid now I'm bid twenty twenty bid . . . come along, there's surely better than a twenty bid tae get me started here . . . Jock Fraser widna hae gotten oot o his bed the day if he'd thocht that that wis aa there wis in't for him . . . come along, its twenty bid I'm bid twenty-five, twenty-five and thirty bid I'm bid thirty . . . that's more like it . . .'

The clerk aside him wrote in his beuk, his heid bent ower the names an the sums, his pen dartin like a wabster's shuttle. I couldna faddom foo the peer breet kept up wie't aa against the clangin o the iron yetts, the stampede o nowt's feet, the buzz o the ringside an the auctioneer's onding. I thocht yon's nae a job for me, keepin the tally at sic a rate, I could hardly coont at the best o times faan it wis aa quaet an me maleen, nivver min in the midst o a clamjamfry o stots, a catechis o prices an a wheen o men corrieneuchin aa roon me.

We met a man at the Mart ae day, my father an me, an he wis wearin black diamonds on his sleeve, half-wye atween his oxter an his shooder. My father said that wad be some sign o respect for somebody that hid dee'd, his wife maybe.

Granny Ogston wis at Bankhead o Kennethmont wie my father's sister Patty faan she dee'd, an news cam till's in the evenin faan we waur doon in the laich park aside the quarry; a car cam tae

Kidshill an stoppit. A fyowe meenits gaed by an syne a woman strade oot o the close on tae the park an made for's faar we waur. I canna mine faa she wis. My mither? the driver o the car? Faan she wis still thirty yairds awa my father kent, bi the set o her face, tae stop faat he wis deein. She'd nae need tae saften the tale she wis cairryin, for yon wis a wye o tellin us, yon walk doon withoot wavin, withoot liftin her een fae's.

My grandfather, David, lay for a lang time in the Infirmary in Aiberdeen, tryin tae cower an operation, afore he passed on in the spring o thirty-echt. He hid gaen intae South Kidshill on the 28th o Mey, 1899, wie a bride fae New Deer, Helen Jean Philip fae Nethermuir. They started wie a dairy, milkin saxteen kye. David worked the place wie a Clydesdale meer an a licht-leggit beast for the gig an the delivery-cairt. A photograph o him, taen in the close at Kidshill, shows me a thin, smaa-bookit man, lookin half-amused at the thocht o his face bein drawn tae the nerra horizon o a camera. His life – their lives – hid nae room for postures or the strikin o attitudes. They could nae mair rehearse ony response they waur forced tae mak than change sleet intae sunshine. They waur spared the needcessity tae winner foo weel they wad come ower, foo braw they wad appear: the lens that blinkit at them for the briefest skelf o time wis their only audience, an nae audience eneuch, either. They walked an lay doon withoot mirrors; it's only us, mony's a year on, that can glorify them or diminish them. David Ogston steed yon day in his close *at ease*; he hid already been tae faur he wis gyaun, there wis nae drowth in him that he couldna slochen, nae appetite for siller or poseetion or effect that set his teeth on edge or made him chase things. The ferm showed him himsel – nae the slabs o stiff paper faar in black an fite, he saa pale copies o the reality he kent.

He wis a man fond o wirds an pithy saws. Gin a chiel struck him as bein neither shairp eneuch tae mak a gweed go o something nor fushionless eneuch tae ging richt doon amon't, tae fooner aathegither, he said o him that he wis juist a gweedless, ull-less craiter. He said fermin wis washin ae haun wie the tither – nivver gettin oot o the bit an tchauvin awa wie the spectre o loss an the phantom o gain baith wearin the same mask. My father mined on the things he cam awa wie, an he mined the day it wis him that gaured a ready lauch tae rise fae David, caain neeps for a haill yokin, fullin the cairt an leadin the meer hame tae the neep-shed, back again tae the dreels an the same throwe-gang o bouin an liftin – my faither wis a halflin at the time, an he'd gotten roon tae thinkin aboot faat they waur deein. 'I suppose,' he said tae my grandfather, 'I suppose ye could caa this a going concern?' David threw back his heid an roared at at een.

Some frien o my father's wis shooin a torn net ae day tae use in his gairden. The net wis a ragged sorry-lookin sotter o rips an tears, an my father said 'Aye, min, she's nae mackle eese tae ye, I doot, some mony holes' an the man came back as quick as a flash, wie 'Either that or she hisna eneuch, man.' Perfect an nae laboured at. I made my father lauch wie my story o the *Sunday Post*. I wis sent tae the Gatt on a Sunday efterneen, fyles, tae get the paper fae the hoose neist door tae Mina's shop. It wis a fair skelp o a walk, but some o the siller in my pooch wis for sweeties anaa, so that pit a bittie o virr intae ma heels for the expedition. I gaed up tae the hoose an rang the bell an wyted; it wis aye an aul body that hirpled tae the door an took the order, an she wis aye an unconscionable lang time in coming. Eventually she opened the door. I said I hid come for Ogston's papers. The door wis swung tae an she hobbled awa; the hoose fell quaet an teem again, as if it wis a shell devoid o human presence. At lang last the aul body won throwe the lobby an appeared again. I took the paper fae her haun an said 'An a quarter o licorice allsorts, please.' She lookit at me for a meenit or twa an syne she went aff again. I steed on the step for anither slice o eternity afore she coasted intae view again, an syne I peyed her. Faan I tell't my father faat an age she took tae get the sweeties he said that wis because the shop was at the tither en o the dwallin. 'Aye', said I, 'bit she taks as lang tae get the papers.' 'Lord, loon', said my father, 'ye surely dinna mak the peer wifie rin twa eerins?' 'Oh aye,' said I. 'First time fir the paper, second time fir the sweeties.' My father leuch an brocht the spread pages o the *Sunday Post* thegither. 'Michty bi here, man' he said.

'Ye could gie her baith messages aa at eence, an en ye widna hae tae staun sae lang.'

'Oh aye!' I said, slow kin. I wis beginnin tae see the licht. There wis the chunce o a joke here.

'I suppose,' I said, deliberate-like, 'I could gie her the siller a bit seener anaa, an en I widna hae tae wyte for the change.'

CHAPTER 10

'. . . the land was forever, it moved and changed below you, but was forever, you were close to it and it to you, not at a bleak remove it held you and hurted you.'
LEWIS GRASSIC GIBBON: *Sunset Song*

I wisna supposed tae find them, but I did, rakin throwe the drawers o the press in the kitchen at Kiddies. There wis *Boldness Be My Friend* an *The Edge of the Sword* an *Sunset Song*. The name on the brod o the beuk wis a name nae common nor heard o in oor pairts, but it wisna the soon o't sae muckle's the bauld stoot solidness o the three pairts o't, the wye ilka wird wis o equal wecht but meevin throwe saft syllables tae the hardest, hinmaist een: Lewis. Grassic. Gibbon. I could nivver say't but faat I wis thinkin o the three distinct names, ilka een a statement. An tae me the Grassic wis faat lifted the haill name oot o the ordinar, hinted o hidden things, becam itsel a play on wirds. Twa or three pages wis aa it took tae mak me feel weel acquant wi the man: I heard him as gin he steed at my shooder, I saa the picters that he magicked up wie ink, his pen dipped in honesty. I breathed in the sweetness an the rankness o the wide open parks an the closed lives he wrote aboot. *Sunset Song* wis a yett I traivelled throwe intae grun weel kent an yet unkent, territory I wis at hame in and yet I nott new een tae tak it in, new wyes o feelin't. Grassic Gibbon wis a map markin nae places but experiences. The story he tell't cam fae somewye close at haun, the characters fae deep inside masel. They said things, his fermin men an millers an horsemen an village worthies, heroes an ablachs, that I'd heard masel in the spik o the big fowk; they said oot loud things I'd thocht an sensed an reached for, an been gey near tae lauchin at for they winted the validity of print – tull I saa them in front o me, the unspoken said, the unsayable made definite. The wye that he spak o fowk, trauchled and brave tae, the wye that he held up tae ye the shape o lives lived lang ago (or wis't yestreen), the wye that he brocht ye the atmospheres o parks an sizzens, the muckle furth an the lift, waur that real an direct that faan I laid the beuk doon an put the Howe o the Mearns back in the drawer an gaed ootside intae the sin an aa the sichts an soons an stinks o the close I felt that here, for the first time, in the confines o the steadins o Kidshill, here wis a life foo o the raw materials o poetry an meanin an value, like the life he'd putten intae the nerra mairch-dykes o his pages. I felt present tae faat lay roon aboot me, aware o its reality as a farrach capable o sangs, aware – for the first time – o the effect it hid on me.

Hugh Milne, the dominie that cam tae Clochcan faan Ma Wilson left, gaed me *A Tale of Two Cities*. That raxed me some, though I tent masel in the streets o Paris, as the eident guillotine lifted an rummled doon, juist as I dived intae the ongyauns o the Mearns. Faan a beuk wisna tae haun there wis aye the lowss-covered slim romances that Mam lookit at fyles, tales o passion an adventure, caul jealousy an burnin herts. The hero was aye kissin the quine in sic a wye as made her lips blister, an I thocht I kent fine foo sair that wad be, it wis a coorse thing in the winter-time tae hae lips chappit raa. I got cowboy books fae Taylor's in Auchnagatt, stories o Roy Rogers, Wild Bill Hickcok, Dakota Dan and Billy the Kid. We were ower ae nicht in the kitchen o Gairdnershill the ferm opposite Cyarnies, an Fred Duncan saa me lookin at his beuks as though I'd nivver seen sic a thing afore, an he gaed me een or twa hame wie's. He spak like the daily paper, Fred, but netteral-like, nae tae show aff foo well-read he was, it wis juist that he couldna hide foo muckle he enjoyed the ring o gweed wirds. He gaed me *The Kon-Tiki Expedition*, an I couldna wyte tae get richt yokit intill't, so I opened the beuk on my knee and made on I wis listening tae faat they waur sayin but I couldna keep my een aff o the loupin, tantalisin, letters in front o me. Thor Heyerdahl enlisted himsel in the smaa band o men that I spun my legends roon, men that I copied in ahin the barn or on the strae-shed reef or up in the laft. George Stephenson's Rocket wis a teem tricle-tin nailed ontae a wee cairtie on the bench aneth the sky-licht; Robin Hood's bow wis a souple stick, riggit intae tension wie binder-twine; Davy Crockett's musket wis a spare boord cut wie the saw, (the barrel wis fykie); Roy Roger's holster wis an aul wellie cut aff at the fit an shooen thegither, wie twa holes at the tap faar a tow could be threedit tae an faistent tae ma belt; the quarry wis bombed noo an again faan I flung steens at the roosty cistern in the howe o the aul limesteen workins, an ilka direct hit wis a tinny victory for Britain; the shed on the braes doon tae the burn turned me intill a Klondyke prospector, flayin his huskies' backs tae get him first tae the best seams; Soda the cat wis shot tae death in the Bengali jungle ben fae the hen-hooses; the Apaches an me waur bleed-brithers eence I'd a fedder or twa stickin up fae a cloot roon ma war-pented, dubs-clarted broo.

Dan Dare made a forced landin ilka Setterday on tae the kitchen table, faan Jack Robinson plunkit doon the paper an the twa comics Auntie Jean sent oot fae the toon: the *Eagle* an the *Lion*. Dan came oot trumps against aa his faemen, even the coorsest eens wie the ray-guns, they waur nae match for him or his side-kick Digby. Dig wisna sae clivver as Dan, an his only response tae crises, calamities an catastrophes wis tae blaw win throw his moo an say 'By gum!' a fyowe times. It wis Dan that had aa the advantages; he wis swack an weel turned oot nae maitter faat like a meshanter befell him; his uniform nivver got blaudit nor fooll, an he kept a calm sough throwe thick an thin. Een o his eyebrows zig-zagged like a bolt o lichtnin, but Dan wis aye as straicht as a hyowe-shaft, aefauld an steve in his defence o richt. The *Lion's* men waur a bit mair hame-ower than the starry warriors o the *Eagle* – chiels that waur leal an true patriots aye comin tae the rescue o the Empire or lost loons stucken half-wye doon a sheer cliff or fyles – but only fyles – the odd quine daft eneuch tae get hersel mixed up in a story for men. Ginger or Jock waur pilots fechtin the Nazis, sheetin them oot o their planes an intae captivity. The German lads had a canny wye wie wirds, it wis maistly 'Achtung' faan they waur up in the air an 'Englander pig-dog!' faan they waur laired up tae the gunnels in the boggy grun faar they'd faan eence Ginger had put them oot o the air an oot o the war for a chapter or twa. Dan Dare an the pilots nivver came tae grief or foonered; so that faan real men focht wie the unseen or the unchancy, an lost fyles, it wis then that ye kent the measure o their frailty faan aa wis said an deen, like the time that the news o John Cobb's death wis announced on the wireless. He wis aimin tae be the faistest man on watter, Cobb, faan he crashed at speed an killed himsel, despisin the breed of chiels that flee laich an flee lang. I made Cobb a hero for deein; bit it wis Captain Carlsen that bleckit aa for thrawness an stoot-hertedness. His ship wis *The Flying Enterprise* a fyowe days oot o Hamburg an makkin for New York faan the rochest gale for mony a lang year coupit the cargo o pig iron an tilted the boat ower in the watter at an angle o 60 degrees. His engines waur connached. Anither ship cam by tae tak aff the passengers an crew, but Carlsen wadna be pairted fae his place on the brig an he bade wie the hirplin hulk o ship as though tae spite the doister that had tried tae feenish him. Day efter day the paper hid photographs o him stannin there, his haill boat slopin up fae the watter like a laidder laid against a waa. A tug fae Falmouth began tae rug the *Enterprise* hame tae safety an the chief mate jined the lanesome figure o Carlsen, but afore they won back the line brook an the twa vessels waur adrift, wie nae hope o jinin up again. The *Flyin Enterprise* gaed doon an Carlsen had tae flee back tae America wie a temporary passport: aathing he hid gaed doon wie the boat except his watch.

Hugh Milne wis keen for's tae mak things, brak new grun, express wirsels. He brocht his ideas oot o his pooch een at a time, tae keep us fae wearyin o a surfeit o novelties. The blackboord that steed on spinnle trams wis pensioned aff an a new boord on rollers took its place. An en a broken windae produced a bonus for's; we waur playin fitba in the playgreen wie a clootie baa faan a hich shot cleared the waa an stove in the middle pane. Neist day we waur tell't that an Unknown Person had peyed for the damages, an naething mair wis heard aboot it. Syne ae efterneen Hugh Milne sat doon on the edge o his desk an speired foo we wad like a game o fitba wie a real baa. We could hardly believe it. He raxed ahin him an hefted a paper bag up fae ahin his cheer. Sure eneuch, it wis a baa wie panels made o ledder an even fae wir desks we could smell the fresh, keen tang o't. There wis a teem park ahin the skweel so we got up an walkit sober-like tae the stadium, threw jaickets doon for goal-posts, an pickit sides. The dominie wis referee. For half an oor we raced an peched, tummled ower divots an tussocks o grass, roared an yelled an galravaged like stirks, sliddered in coo-shite an wiped oor heels on clumps o tansies.

Neist thing, it wis trees. Nae the laarick an rodden trees we kent, but trees that ye could staun on yer mantelpiece. They waur set in laich trays an Mr. Milne said they waur Japanese trees, Bonsai he said, an they waur perfect in ilka detail. We waur sent hame an tell't tae bring in tae the skweel as mony *Press and Journals*, *Weekly Newses*, *People's Friends* an *Reveilles* that we could lay oor hauns on. Eence we'd a guid stack o them ready in the corner he had us cuttin them intae thoosans o blauds an steepin them in pails o watter tull they waur naething but a grey mush like caul wattery parritch. Syne we wrung the watter oot an we waur ready tae mould the stuff intae ony shape we winted. Maist o's made hooses an byres an barns, an we loot them get dried an hard an syne we pented them. We made paper-knives oot o hawthorn an pented them wie shellac an wrote 'Clochcan' on the blade. Syne it wis music we'd tae thole, as though the hymn in the mornin hidna been eneuch. Mrs. Milne cam ben frae the skweel-hoose an sat doon at the piana an aff we gaed, throwe Tipperary aa the wye tae the Afton, flowing gently it mith be but nae faan we hid tae cope wie't, the tune wis slow-kin an some o's thocht only a sissie wad sing sic a sappy thing as yon; we waur mair at hame wie Jock McKay of the H.L.I. or the Gordons' sang: 'A Gordon for me, a Gordon for me. If ee're nae a Gordon ye're nae eese tae me. The Black Watch is braa, the Seaforths anna, But if ye're nae a Gordon ye're nae eese at aa.' We got a good party at Christmas, though, wie Charlie Chaplin films an dances an sausage-rolls. A wifie cam roon an speired gin we'd aa haen a sausage-roll an we said no, nae yet, because we'd juist feenished them an we waur still hungry. So awa she gaed an cam back wie some mair an she said they waur meant for the Committee but she couldna see us deen oot o wir share so we kept wir moos shut an took the second rolls an ett them an felt guilty for at least twa meenits or so. Iris Fite an me did the Bluebell Polka: I wis fair plottin efter that, efter haudin on tae a quine for sae lang. Nae content wie trees the size o a pansy an papier-mache an the Campdown ladies fae his wife, the dominie tried poetry. We had tae copy doon 'The Whistle' an 'It wisna His Wyte' in nerra blue jotters; poems aboot gyaun tae Kirkcaldy in a train an a puddock that was ower cocky for his ain gweed an got on the wrang side o a heron, namely, the inside, for the heron ett him. But the heid-shafe wis tae come: we'd tae staun up on wir hin legs in front o the lave o the class an deeliver talks tae aabody. We trippit ower wir sheen an shuffled wir feet, grew reid in the face an yokie wie the embarrassment o't. The quines snickered an bent their heids an sklented sideways at een anither faan a loon got up tae spik, an we did the same faan they waur on the fleer. The dominie sat at his desk an watched the performance wie his een squeezed nerra, for aa that we kent he wis smorin a lauch tee at some o the things we can oot wie.

I canna be sure noo gin it wis the poems we waur learnin in the blue beuks, or the Christmas pairty itsel, but I tried my haun at a fyowe lines aboot the pairty an it cam oot like this.

> This year we're having a party
> For the second time.
> We had one in 1953
> Instead of a pantomime.
>
> I like a party. You've fun and games.
> At Postman's Knock you kiss the dames.
> You get a present from the tree
> Thanks to the School Committee.

Efter the holidays waur by I showed faat I'd written tae somebody an priggit wie him nae tae show't tae the dominie, hopin wie aa my micht he'd nivver be sae blate as tae tak me at my wird. He wisna, an he slipped it on tae the desk like a true frien. Mr. Milne read it an speired gin he could keep it. I wis hookit, cairried awa bi the sheer delicht o an audience, a receptive lug, a prospect o roose fae a source sae near at haun and still superior. I wrote strouds on bits o paper and gied them tae Doddy Smith and Tam Dawson or Thomson Wilson, an pled wie them nae tae hand em on. They did it withoot hesitation. Afore lang Mr. Milne wis the target for a blin drift o paper, an he keepit ilka scrap. There wis een born in the het lowe o inspiration efter a lesson aboot birds an their habits at nestin time, foo they biggit them an faat they gedder't for't. We tell't the dominie we'd seen a spurgie's nest wie a tap on't but he wad hae neen o't an said we waur wrang. So faan we got ootside for an interval I took a pencil wie's an scribbled a poem in the playgreen, a shortsome een, aboot foo his an the dominie waur at odds ower the heids o the spurgies roon aboot Clochcan.

Some time efter the first splurge o poetry the dominie cried me up till his desk ae day an gied me a folder. I had nae idea o faat wis inside, but he noddit his heid an motioned me tae open't. Inside waur the poems I'd pestered him wie, aa typed an titled an laid oot like a beuk. Go over them again, said Mr. Milne, and see what you make of them. Never throw them away.

Gin a poem wis thrown aff in a short space o time, for fun, an nae for a creetical summation o its fauts or maybe its felicities, the essay I wis like tae try for the British Trades Alphabet Competition wis a different kettle o herrin. The dominie said it wis worth a go: ye'd tae pick on a theme or a subject oot o the list o things we traded in fae the Commonwealth, an fin oot faat ye could aboot it an write an essay wie drawins or maps or examples o the product. I thocht it micht be easy an started aff, walin a host o facts and figures fae the *Newnes' Pictorial Knowledge* aboot India, Assam an Ceylon, aboot marts in London, aboot tasters an planters an freighters an kists, blenders an so on tull ma brain wis sweemin. I drew natives puttin leaves intae wicker creels. I cut oot the sides o the Ty-Phoo packets an sent aff tae firms tae speir for samples an information sheets, diagrams an sales. I geddert an sorted an doodled for a fyle, an syne it wis gey near time for the entries tae be sent awa, an the playin stoppit an I had tae yoke intae the feenished article. Mam bocht me a crisp new jotter fae Taylor's shop an it lay on the dresser an wyted for me. The tchauve o't wis felt fae the wye that I started the page number One; gin I shook faan I brocht the pen tae the paper, gin I wrote something twice an nott tae rub it oot, I wis spilin my chances an throwin ma wark tae the win. I sat at the table, Mam at ae elbow an Granny Dinnes at the tither, an I hated the haill thing for its size an its length an the needcessity tae be pernickety aboot ilka dot an comma. I had rulers an rubbers an shears an glue, faan I feenished a page I peched wie relief an syne it wis aa deen, an it wis posted awa an I thocht I wad nivver be able tae open anither bottle o ink in aa ma days. A month or so gaed in an there wis nae wird o the Competition. Syne ae day Mr. Milne was takkin in the lines fae the playgreen an as I gaed by him he tappit my shooder. 'You've won a hamper,' he said, 'for your essay on Tea.' A Hamper! Een o yon muckle crates o things stappit wie grulshiks an marvels an treats galore like the comics! Faan wad it come? I speired, an he said he didna ken, but it wad be sent tae Kidshill, nae fear o that. I pictered the Carrier comin fae Auchnagatt an twa men haein tae lift it, canny an safe, on tae the close fir me. I pictered a feast in store wie turkey an ham an bottles o ale an me at the heid o the table weerin a party hat an blawin oot a furler fae ma burstin chiks. I pictered, faan I thocht o the warst they could dee tae me, a hunnerwecht o Ty-Phoo an a note wie 'Congratulations' on't. The postie brocht me a parcel wie a bag o sweeties, a fussle, a revolvin pencil, a fitba-book, an a *Guide To The Birds of The British Isles*. There waur nae sides o beef or chuckens in jeely, nae monster cakes fair dreepin wie cream, nae cherries nor icin. Nae maitter: I fondled the beuks an twirled the pencil an kent in ma beens that the great thing aboot competitions wisna the tryin an tchauvin, nor yet the effort tae learn an better yersel – the great thing wis winnin. Even though it aa fitted intae Jack Robinson's bag an the wecht o't didna mak him faa fae his bike.

CHAPTER

11

'To him that overcometh will I give to eat of the hidden manna, and will give him a white stone, and in the stone a new name written, which no man knoweth saving he that receiveth it.'

THE REVELATION OF ST. JOHN CH. 2 V. 17

The road tae Clochcan, tae the place o the fite steens, wis't ivver the same road day efter day, or did some antrin haun plant a breem buss hidlinweys ae nicht at the dyke-side, or brak a wire o the palin tae mak a sudden hole for creepin throwe, so that we hid tae stop an scutter there, syne walk on an forget it? The burn at the fit o Aul Joe's parks – wis't aye the same size an the same depth, or did it snoove aneth the brig ae day at a faister lick nor yestreen, swall'd wie rain watter, priggin wie's tae fling sticks intill't, so that we thocht it wis the only time we'd hae the chunce tae race wir boats on't? Thon rodden tree o Geordie Fyvie's, wis it reid last wik an wad it still be reid a wik fae noo? Faat wis a wik till's faan aa wis said an deen, except the space atween twa Fridays, the interval atween the *Eagles* fae the toon or the saft baps fae New Deer? Faat wis a day come tae that; ilka day wis doubled intae skweel time an hame time, ye dandered hame an yarkit on aul claes and syne it wis suppertime an the mannie on the wireless wis on aboot the government again an the widder for Rockall, an it wis like echt o'clock in the mornin aa come roon again, a second yokin: the evenin raxed oot in front o ye, jingled in yer pooch like siller tae be squandered, yer ain day belangin tae ye tae be spent as ye micht want. The hame day wis jined on tae the skweel day like a cairt hard tee tae the horse in front o't: the skweel day neist mornin took a full load o ploys and prattiks wie't tae the desk an playgreen, so that it wis aa ae time an aefauld, indivisible – the lintie echoed faat the peesie-wheep hid cried, the mornin haar wis a wusp left ower fae the gloamin o the nicht afore. Ye tell't yer cronies faat ye hid gotten up till, faa hid come in aboot, faat ye hid for yer supper, faat so-an-so said. An then come the nicht again faan ye waur helpin yer faither or explorin the quarry, loupin fae the strae-shed reef or sheetin redskins wie a timmer rifle, the braid warld o the end room o Clochcan foldit intae the ongyauns o the ferm an lit up the shape o the familiar life wie bricht flashes o the stories an the legends that cam oot o beuks an lived again for ye. A fork shaft faan ye waur liftin bunches o strae wis the haft o a pike in the service o the Bruce at Bannockburn; rain on the ley wis rain on Flodden, an ye wad hate the English for as lang as there wis breath in ye; dirks floored oot o the tines o roosty harras, shairp an ready this time for the Chevalier tae come an pit new hert intae the bedraggled clans. Chairlie hid leal friens at ilka turn, ready tae list again, ready tae rin up anither standard. Gin ye could only dicht awa twa hunner year o wastric ye wad kinnle the bleeze o the fiery cross, an wauken the mufflled drum, an march on London, an press hame the advantage: the Sassenachs wad perish noo, greetin for mercy, bit there wis nae jinkin the cannonades o het revenge, naewye tae hide faar the claymore couldna rax till.

Ilka fechtin man hid his ain armoury: sabres for the Hussars in the Crimea; cutlasses for pirates on the Seven Seas; scimitars for the Moors an Turks, wie their goons flappin an their jewels an their sleek steeds; rapiers for the Three Musketeers as they pirouetted roon their faemen an rivals; arras an tomahawks for the Apache, Sioux, or Blackfoot Indians, Colt revolvers an Winchester rifles for the cowboys on the trail; cannon fore an aft for Hornblower; targes for Ivanhoe an chain-mail for the Knights-at-Arms; Lugers for the German officers wie the shiny beets an cheesecutter bonnets. Hugh Milne said that the scimitar wis that keen a blade that a silk hankie only nott tae faa on't tae be havered clean in twa. The Young Pretender favoured the basket-hilted kin o sword: Errol Flynn hid a sword like that in *The Master o Ballantrae*.

We did the toons o Scotland; we kent herrin cam fae the Broch, an Johnny Ramensky cam fae Peterheid, nae as aften as he wad like maybe bit aften eneuch fir appearances' sakes, he wis aye brakkin oot an gien the bobbies a reid face, like the time he wis at Elton an they hid road-blocks ilka side o the brig ower the Ythan, uniforms aawye an aabody sure o the chiel this time, it wis juist a maitter o wytin fir him. Ramensky crawled in aneth the brig an speeled his wye oot o Buchan; he wis a genius at climmin ony sheer waa or getting oot o ticht neuks; even the bobbies hid respect fir him. We kent, tae, that the Dons cam fae Aiberdeen: Fred Martin, Harry Yorston, Paddy Buckley, Graham Leggat an Jackie Hather. Clyde put them oot o the Scottish Cup in 1955, an there wis bit the ae goal in't. Aiberdeen got their revenge faan they beat the same team bi the same difference – ae goal – tae win the Championship o the League for the first time ivver. Davie Shaw wis the trainer, an fowk said fyles faan the Dons waurna deein weel that they waur eleiven tatties on the same Shaw. We kent Rangers an Celtic cam fae Glesca, bit Raith Rovers wisna easy placed an Queen o the Sooth likewise. Foo far wis Sooth? aa the wye tae London, like Chairlie an his braw brave Hielan men? According tae the Dominie London wis five an twenty mile across, aa the wye fae Aiberdeen tae Auchnagatt – streets an hooses an a great stramash o fowk fae King Street tae the Black Dog, tae Balmedie an tae Ellon, tae the Gatt itsel, naething bit shops an hooses. The only glist we got o London wis the Coronation, faan we saa the cerriages an horses an the sojers wie the plumes: a London pented in its high-day glory. Foo far wis North? Banff, surely, a place that I pictured tae masel as a barn up on a hill faar the win blew caaff aawye – that wis aa that I saa in my mind's ee faan the wird Banff wis brocht up. Macduff an Cullen waur places faar the skweel picnic gaed, faan we waved oor hankies oot o the windie at men hyowin in the parks. Foo far wis West? Auntie Kate at Faldies hid a woman frien fae America tae see her, an we gaed up tae veesit. I wis hopin she wad gie's a dollar, nae for the siller but so that I could see for masel faat the ranch-hands peyed for their liquor wie faan they breenged intae the Saloon an played cards wie men in shiny weskits. We got hame, eence, fae Bankheid a haill hullock o comics fae America, an I read them tull I'd sookit aa the goodness oot o them. An faar wis East? Aul Joe an

Clochcan an the smiddy, Crichie an Langside. Wie nae alternavie place tae be, ye brocht only een or twa perspectives tae the hill ye bade on, its contours an its landmarks: a holiday in Methlick, maybe, or at Bankheid wie Patty, that wis a new angle tae spy Kiddies fae. Or the sizzens, an the sizzens' main extremes o winter wie its snaa, simmer wie its fairs an shows an its fitba matches.

Snaa pounced at nicht, sleekit in its ambush. Ye kent in the mornin afore ye waur weel oot o yer bed that the quality o the licht had chynged sin ye crept in amon the oo, the lift had a washed-oot glare an a metallic glint cam sklentin fae the cloods; the bedroom itself wisna the kent place ye were eesed till. Ye could smell snaa afore ye peepit ower the rim o the windae. The parks lay like a clootie dumplin somebody had flattened an dichtit wie sugar; here an there black grun markit the place faar the speen coupin the dazzle had wavered an missed. The mornin air took a haud o ye, made ye notice skin an surface, drave ye quick oot o the sleep raivellin yer noddle. Ye cast aboot for a maazie tae hap yer haill airm, tae ging ticht roon yer neck an smore ye gin it wad only fecht back against the nakitness brocht on bi the caul bite o the bare room. Linoleum jeel't yer taes an the dance for socks an sheen wis the same as gin yer feet had lichtit on a het girdle, nae tae be tholed for lang. Broonies hid a new, shairp edge tae the steadins an hooses; snaa brocht a new rise an faa tae the parks an ye saa palins ye'd seen a thoosan times afore as gin a feverish fairy had tchauved aa nicht tae pit them faar ye saa they waur. Skushlin throwe the fite pooder on the close wis a dance the first mornin; a tramp the second, a tchauve the third. Steps plantit on the grun reclaimed something fae the winter – like a gesture tae deny that the ambush wis a great success. Blin drift kept us back fae the skweel, for fear that roads wad be blockit or we won hame again. We relished the drama o't, Hilda an me, huntin for caunles in the press in case the power failed, lookin for the postie wie the paper, his usual time oors oot o kilter, an aabody sure as onything that we waur missin the maist important news if he couldna fecht his wye ower fae Broonies an up the road aside the park we caa'd the prairie. An syne faan he did chap at the door, walkin nae doot by this time, he wis inside for a fly an a newse aboot foo bad ither fowk waur takkin wie't, an faa's pipes had burst an so on, there wis drama in disasters richt eneuch, even the hame-made kin. Winter wis Vick on yer kist like a shock tae the system, wellies stappit wie paper-baas, steen pigs ye brunt yer feet on, spoots bairdit wie icicles, stem risin fae yer moo in braid day, the secret, dark neuks o the good room faan it wis pressed intae service if there wis burst pipes in the kitchen, snaa-baas on creosoted timmer like buttons on a bleck jaicket, chines clinkin in the byre, an the neep hasher slicin swedes for the nowt in their travisses.

The shows cam roon eence it wis July or August, an Aikey Fair faar ye could make a fortune gin ye winted tae spen a fortune. The New Deer Show wis like a taste o a far place: a pageant made o nowt an streamers, side-shows an candy-floss, pipers an Hielan dancers, horse-jumpin an ice-cream an marquees stappit wie cake, jams, flooers, knittin an cheeses. Ye tried yer haun at the Wild Flower Prize, tae see foo mony ye could gedder in a bunch, bit ye ran oot o varieties in nae time ava, or else bad luck coupit aa yer strategies. Tansies that hid croons o gowd three days afore the show hung their heids in shame faan ye gaed lookin for them; bluebells tint the colour fae their cheeks an pined awa tae naething. Sturdy plants dwined an chokit; some bonny yalla bloom that spread like a forest fire aa the rest o the time wad disappear fae sicht faan ye nott it maist. Ekin oot the bunch wie a haunfu o leaves an lang girss wis the last resort – either that or climmin some stey brae for hedder, or tae bleck aa, pinchin some star exhibit fae the gairden in the hope that it wad pass the judges' notic. The Show Park wis aye steerin wie fairmers in broon suits, men at the cattle-pens leanin on the rails an smokin, weemin tryin nae tae look disjaskit, an bairns rinnin fae ae ferlie tae the neist for fear they wad miss something. Scarecraas an penguins waddled by on their wye to the Fancy Dress section: Committee members wie their reid badges flapped an fussed like a herried bike faar ilka bee wis a queen bee; sonsy deems wipet their broos an leuch a lot; young chiels put their sark collars oot ower their jaickets an flattened their hair wie Brylcreem; rubbits an guinea-pigs an collies wie a ribbon on gaed in for the Pet Section, an aabody won something; ingins like smaa neeps sat side bi side wie leeks gleamin like ivory in the Produce Tent; Mrs. Bruce fae Mains of Backchines sweepit the table wie her chutneys, juist like last year; an juist like last year the show park buzzed and sang wie a dizzen sweet an special smells: canvas bakin in the heat o the lang efterneen; girss sprinkled wie saadust; Bogie Roll yoamin up fae pipe-lids; the fuff o stout an porter fae the moo o the Beer Tent; the perfume o the quines an weemin in fite blouses; fresh pent on signs an notices; sharn in the cattle-pens; ile smells an petrol smells fae the Displays in the ring; the smell o good luck at the Roll-the-Ha'penny, the Coconut, the Aunt Sally stalls.

There wis grace an muscle. On a timmer platform at the Dancing Competition swack quines, some nae bigger nor the dalls in a shop windae, twirled an pinted an wheeled an set, their kilts bouncin on their fite thighs, pumps squeakin on the boords, their buckles chimin. The tug-o-war teams got their anchor-men ready, an the leaders walkit back an forrit tae mak sure they waur aa ready, syne it wis a shout o 'Tak the strain boys', an they waur intill't, they waur committed, leanin intae the line the rope drew, driving their beets intae the grun tae get some purchase. The rope shivered in thin air, knuckles tichtened an airms rippled as the play o muscle flichtered juist aneth the surface o bare skin. They grunted till themsels, tae their neepors, tae their skirlin nerves – Heave! – an again feet rose an fell in concert duntin the churned path they waur cuttin inches bi inches. The rope owned them; they waur slaves; they could be maisters; they waur fechtin nae juist the ither side's will tae win bit their ain crisis o faith in their ain will tae feenish't. It wis aa ower, fyles, in a fraction o the time it took tae rug a lace ticht or faisten a tow roon a palin post; nae build-up or final touch, juist a trip in the taut balance o the matched sets o men, an the winners coupit on their sides as the momentum gaured them tummle, an they lookit like they'd lost as they drappit like dominoes.

Inside the Ring there wis the Grand Parade, aa the livestock that hid a reid, blue or fite rosette: glossy kye an groomed

Clydesdales, gurly rams an sleekit shalties. The Pipe Band played in the middle, meevin as one man, the Pipe-Major oot in front o them flingin the baton like it wis a pencil; the tunes waur a mixter o the things ye felt aboot yersel – a boastin an a keenin, a kennin an a thirst tae ken.

Aikey Brae wis a horse-market in the aul days. Dad said he could mind the tradin that gaed on an foo namely the place wis, foo the horse-fairs waur kent far an wide. A mile oot o Aul Deer, it wis nae mair nor a level bit o grun in the lythe o a quarry noo, bit come July an Aikey wis a magnet again, pullin show-men an stall-holders fae the farrest neuks o the country, drawin cheap-jacks an hawkers an travellin fowk an traders an con-men. They brocht wie them the Seiven wonders o the Warld an an army o roustabouts, a fleet o larries an engines an contraptions. An that in turn drew the customers fae here an aawye, fowk ready tae be gulled an grabbed an amazed at its garish, growlin hullabaloo. Aikey wis a toon faar nicht turned tae day, a carnival o colour, a rammy an a meneer. Aikey wis hamburgers fae a van, chips fae an aul bus, toffee-aipples an gold-fish, the Big Dipper an the Wall o Death, the Bairded Lady an the Smaa'est Man, the Chamber o Horrors an the Tunnel o Love, the Hall o Mirrors an the Incredible, the Spectacular, the Fabulous Experience. Aikey wis Gypsy Rose Lee the Authentic Fortune Teller sittin at her caravan an wytin tae astonish ye. Aikey wis rifle-ranges wie clear targets an bent rifles. Aikey wis playin-cairds nailed tull a boord, an three darts for a tanner. Aikey wis music in yer lugs like a stemm-mull.

Fowk met in wie een anither, swappit stories aboot bein swickit, bein feart, bein nae sae teen wie't this year compared tae last year, bein deeved wie the soon o the generators an the merry-go-rounds an the music fae the Waltzer. Aye, aye! spennin aa yer siller? Michty, faat a steer! Mair fowk here than there his been, I'd say, must be the gweed widder! Hey aa in yet? Haen yer fortune tell't yet? Damn the bit. Aabody kent foo the sichts on the air-guns waurna lined up with the barrels an aabody jaloosed that there mith be some bias on the coonters, an aabody kent that the great thing aboot Aikey wis the smaa risks ye waur safer wie, because ye started oot a loser. Bit tae mak up for aa that there wis the flattery o bein socht tae try yer haun, the invitation tae be a sport, tae prove foo clivver ye could be this nicht o aa nichts. For a tanner a time it wis worth it, tae be made tae feel ye waur maybe cock o the walk an maister o the game. The show-men didna need ony o the usual exchanges that waur lookit far in ither company or at ordinary times: ye waur free tae listen tae them withoot hearin them, or tae caa them orra ablachs an wasters, or tae newse aboot them in front o them as if they waurna there tae hear ye miscaa an slander them. Aikey wis a short suspension o the normal rules, a game played awa fae hame an hame's predictable solidity. Faan it wis aa ower an the caravans hid gaen awa; faan the roundabouts hid stoppit birlin an the Big Wheel hid furled oot o sicht, an the miles o cables hid been rowed up an stowed awa again, fowk still cam tae try their luck on the deserted site for a day or twa. They wad come lookin for the flotsam that the thoosans o fowk hid maybe drappit, tint or thrown awa at Aikey: tanners or half-croons, trinkets an prizes that naebody hid liked eneuch tae cairry aff the parks as booty or as souvenirs. Ye saa them walkin back an forrit, poukin wie their taes at scraps o paper, chasin something that hid nae name bit the feel o a surprise.

Faan simmer days waur deen an the cornyard wis foo it wis time tae teem the parks o the last hairst o the year, the tatties. Thon wis a lang day, gettin langer bi the meenit come the efterneen faan yer back wis brakkin an yer hauns waur barkit wie dry dubs. Dod Dawson hid a wheen o's fae roon aboot, twa pickers tull a length o dreel, a skull apiece. As seen's the digger sprayed a hail o earth an tatties ower tae ye ye wis linkit at it, liftin, throwin, liftin, throwin. Teem bags lay on the edges o yer bittie wytin tae be full'd. Ye began tae look for the baskets comin fae the hoose, an the broon kettles, an the stoppered bottles wie the milk in't. If ye rubbit yer face or tried tae pick a speck o something oot o yer een ye clarted yersel an made a fair job o makkin on ye hid some kinship wie the Picts o the yester-tales o lang years back. It grew darker an a thocht cauler: the tatties waurna easy tae mak oot amon the steens aneth yer feet. An en the digger stoppit: it wis aa ower wie, an the ten-bob note wis on its wye intill yer pooch. Neist day or as seen as could be the shop at Nethermuir or Taylor's in the Gatt hid a run on licorice or sherbet, knives an gless bools, Dinky cars or claes for the best dall.

Ye bocht jotters for drawin in an coloured pencils, so's ye could try yer haun at Dan Dare's spaceship or the battleships in the River Plate. Ye began stories an left them, stories aboot heroes ye could dream up oot o thin air. Randall wis a favourite: he wis tough an ready for onything, if only ye could think o onything that he could really show his mettle at. Randall wis a hunter, braid in the shooder, his lang hair winnin him the nickname that aabody kent him bi. He swept intae the saloon at Red Creek an loupit on tae the stairs tae say something, faan a dirk fussled throwe the air an pinned him tae the waa . . . an that wis as far as Randall ivver got, he wis left there stickin tae the waa an he nivver meeved again. There wis nae dialogue.

The back end o the year brocht the stemm mull fae Cummings o Mintlaw: it wis a factory on wheels, churnin the earth o the cornyard as men beddit it tae staun firm wie shovels, makkin a howe for ilka wheel tae sattle intill afore they braced it wie spars o timmer. The lang belt wis threidit on tae the shiny drive-wheel an the tractor whined an got up eneuch pooer tae mak the belt blur intae a ticht whirr o energy. Men forkit fae the rucks tae the lowsers on the apron o the mull abeen the drum; men steed at the corn-chutes an watched the bags fullin, saggin on their heuks as they grew fat an bellied oot an hardened wie the wecht o grain. Caaff whooshed oot o the funnel at the side like blin drift, like a sand-storm o confetti in the grip o a cyaard gale. Husks an caaff got inside yer collar an poored intae yer beets – yer een grew yokie an yer feet grew hetter an hetter. Doon near the foons o the rucks the shaves waur foosty: a fite styoo rose fae them as they waur flung up tae the men lowsin wie the ledder half-glove that hid a knife shooen intillt. Faan the foons waur shakken up an turned ower haill colonies o mice wad rin for cover, an that wis faat the collies waur wytin for, they waur efter them an their teeth snapped an pounced an they flung the deid beasties ower their heids as if the time hid come tae show aff some. The barn or the strae-shed wis stappit wie strae; the mull wis wound doon an the drone o't wis quaet again, an men could stop shoutin an get back tae newsin in a normal wye o spikkin. The corn-yard wis rypit, like a band o reivers hid come by an caa'd aathing in front o them; an the mull, like a battering-ram brocht forrit tae mak short wark o the siege, lumbered awa again an left the bare toon razed tae the grun. Bit there wis this difference: the siege feenished wie the toon's fowk wydin tae their oxters amon mett an beddin. A sense o gain an a sense o loss: reddin up yer leen faan the men that cam in by tae len a haun hid gaen hame again, an left ye tae the darg that aa the ither days waur made o.

That's faat it feels like – a sense o gain an loss aa snorled up throwe-idder – tae redd up noo an tak a step back fae't an lat it be. David Ogston merried Helen Jean Philip o West Mains, Nethermuir, New Deer an gaed intae Sooth Kidshill o Auchnagatt on the twenty-echth o Mey 1899; he startit dairyin wie saxteen kye on a pair o horses: the Clydesdale an a licht-leggit beast for the gig an the deleveries. Their first bairn wis born in 1903 an the twins – James an Davina – three years efter that. William Dinnes merried Jane Harvey Adam at Rosehill, Inglismaldie in 1894. They hid nine o a femly, the youngest een – a lassie – born on the twenty-sixth o Mey 1913. Her name wis Mary. James Ogston an Mary Dinnes waur merried in the Chapel at Haddo House, Methlick, on the third o June 1944. They hid twa o a femly: a loon, David, born on the twenty-fifth o Mairch 1945 an a quine, Hilda, born on the thirtieth o September 1949.

I gaed back for a steen faan I wis thirty-seiven an a day. I stoppit the car at the neuk o the park neist tae Clochcan, faar a bourach o fite steens lay. I climmed oot o the front seat an steed for a meenit, syne I loupit the palin. Cars passed on the road. I kept my back tae them. It wis the wark o a meenit tae pick oot the steen I winted. I drave on by the road-en faar a skweel bus fae the village hid been by nae time afore, an there wis a quine staunin, wie her skweel-bag, ready tae ging hame. She watched me gyaun by, an waved her haun. I waved at her.